LG에너지솔루션 에코프로비엠 일진머티리얼즈 코스모신소재 천보 피앤티

2차전지 산업분야 취업가이드

저자 미래기술정보리서치

- 취업을 위해 꼭 알아야 하는 용어와 이슈
- 대표 기업 취업 성공방식
- 숲과 나무를 동시에 보는 산업분야 스터디

LG에너지솔루션 에코프로비엠 ILJIN 일진머티리얼즈

코스모 COSMO

Your True Partner (주)천보

PNT

(주) 비티타임즈

<제목 차례>

1. 국내 2차전지 관련 기업들

I 국내 2차전지 관련 기업들

1. LG 에너지 솔루션

1) 기업소개

2020년에 설립된 LG에너지솔루션은 LG계열사이며 2차전지(소형/ESS/자동차전지) 제조 등 축전지 제조을 영위하는 기업이다. 리튬이온 2차전지 연구를 시작으로, 장기적인 비전과 한 발 앞선 투자를 통해 세계 최초 전기차 배터리 생산, 특허 수 세계 1위, 전기차 시장 점유율 세계 1위 등의 위업을 달성했다. 또한 업계 최초 알루미늄을 첨가한 4원계 배터리인 'NCMA', '실리콘 옥사이드 음극재', '안전성 강화 분리막'등 차별화된 소재 혁신 및 '라미&스택', '롱셀'을 포함한 공정 혁신 등 배터리의 성능과 안전성을 극대화 할 수 있는 핵심 기술을 다수 확보 중이다.

당사는 배터리 업계에서 처음으로 'RE100'과 'EV100'에 동시 가입했다. 이에 따라 2030년까지 전체 사업장의 사용 에너지를 100% 신재생에너지로 바꾸고, 회사 차량도 대부분 전기차로 전환할 계획이다. 이외에도 국내를 R&D 및 생산 기술 허브로 만들기 위해 오창, 대전, 수도권을 중심으로 `배터리 R&D 및 생산기술 삼각 허브`를 구축한다. 2022년 5월에는 포항산업과학연구원과 맺어 공동 연구를 통해 스마트팩토리 첨단기술 개발에 진입했다. 업무 협약을 통해 당사는 현실 세계를 그대로 반영한 온라인 공간에서 시뮬레이션을 통해 문제를 예측하는 디지털 트윈 기술을 연구할 계획이다.

<LG엔솔, 북미서 업계 1위 노린다>[1]

에너지 전문 시장조사업체 SNE리서치에 따르면 LG엔솔은 올해 1~10월 북미에서 누적 전기차 배터리 사용량이 전년 동기 대비 24% 증가하며 시장점유율 2위(18%)를 차지했다. 파나소닉의 경우 배터리 사용량 27.1GWh로 시장점유율 48%를 나타내며 1위에 올랐다.

중국을 제외한 글로벌 전기차 시장에서 LG엔솔이 1위를 고수하고 있는 것과는 달리 북미 시장은 파나소닉이 테슬라와의 긴밀한 협력 관계를 바탕으로 견고한 입지를 유지하고 있다.

---

1) LG엔솔, 북미서 업계 1위 노린다…파나소닉에 '맞불' / 월요신문

여기에 파나소닉은 테슬라 의존도에서 벗어나기 위해 북미 시장 타 완성차 업체와의 협력도 꾀하는 중이다. 특히 지난 16일 루시드모터스와 리튬 이온 배터리셀 공급 파트너십을 체결하며 이를 표면화했다. 파나소닉은 오는 2023년부터 2031년까지 루시드 SUV 그래비티에 배터리셀을 공급할 계획이다. 본래 루시드가 내년까지 LG엔솔의 배터리를 공급받기로 했던 점을 고려했을 때 파나소닉의 이번 행보는 북미 시장 입지를 뺏기지 않겠다는 선제적 대응으로 풀이된다. 이 같은 상황 속 LG엔솔은 '4680 배터리'로 맞불을 놨다. 지난 19일 LG엔솔은 충북 청주시 오창공장 생산라인 신·증설을 위한 대규모 신규투자를 진행하고, 고용 인원을 대폭 확대하기로 했다. 구체적으로 전체 투자액 4조원을 오창공장 원통형 배터리 생산라인 신·증설 및 설비투자 등에 투입할 계획이다. 전 세계 전기차 업계에서 원통형 배터리 채택이 늘어남에 따른 전략적 투자의 일환이다. 특히 이번 투자를 두고 일각에서는 미국 테슬라를 겨냥한 것이라는 관측이 나온다. 4680 원통형 배터리는 일론 머스크 테슬라 최고경영자가 지난 2020년 '배터리 데이'에서 소개한 제품이다. 테슬라는 물론 전 세계 전기차 업계가 주목하는 차세대 배터리다.

기존 '2170 배터리'에 비해 에너지 밀도는 5배, 출력은 6배 높아 주행거리를 기존 제품 대비 16%가량 증가시킬 제품으로 평가받는다. 따라서 LG엔솔의 오창공장 4680 생산라인은 원통형 배터리 생산의 중심축을 맡을 가능성이 높다.

여기에 LG엔솔은 미국 테네시 공장 생산능력까지 증대하며 북미 시장 점유율 확대에 박차를 가하고 있다.

2) 채용공고 소개[2)]

① 상시인재 채용(신입/경력)

(1) R&D기획

상세내용	• R&D전략, 기술협력/전략 등
전공	• 전자전기공학/정보통신/기계공학/화학공학
근무지	• 대전광역시 유성구
지원자격	• 경력직 지원의 경우 해당 분야 경력 만 36개월 이상 필수 (지원서 작성 시점 기준) • 학위기간(재학) 중의 경력은 기간에 산입하지 않음 • 모집 분야 상세내역에 있는 필수요건이 우선임 • 해외여행에 결격 사유가 없는 자, 남성의 경우 군필 혹은 면제자 (전문연구요원제도 선발 및 전직 불가) • 보훈대상자는 관련 법규에 의거함

2) 잡코리아

(2) 분석(R&D)

상세내용	• 차세대 제품 개발 가속화를 위한 분석, 이슈 해결, 분석법 개발, 컨설턴트 역할 등
전공	• 화학공학/전자전기공학/기계공학/산업공학 등 관련 해당학과
근무지	• 대전광역시 유성구
지원자격	• 경력직 지원의 경우 해당 분야 경력 만 36개월 이상 필수 (지원서 작성 시점 기준) • 학위기간(재학) 중의 경력은 기간에 산입하지 않음 • 모집 분야 상세내역에 있는 필수요건이 우선임 • 해외여행에 결격사유가 없는 자, 남성의 경우 군필 혹은 면제자 (전문연구요원제도 선발 및 전직 불가) • 보훈대상자는 관련 법규에 의거함

(3) 시뮬레이션(R&D)

상세내용	• Cell/Pack/BMS/설비 시뮬레이션 등 • Material informatics - 이론(계산)/실험 기반의 핵심성능인자 개발 - 소재 성능예측/가상설계 모델링 등
전공	• 화학공학/전자전기공학/기계공학/산업공학 등 관련 해당학과
근무지	대전광역시 유성구
지원자격	• 경력직 지원의 경우 해당 분야 경력 만 36개월 이상 필수 (지원서 작성 시점 기준) • 학위기간(재학) 중의 경력은 기간에 산입하지 않음 • 모집 분야 상세내역에 있는 필수요건이 우선임 • 해외여행에 결격 사유가 없는 자, 남성의 경우 군필 혹은 면제자 (전문연구요원제도 선발 및 전직 불가) • 보훈대상자는 관련 법규에 의거함

(4) DX(Digital Transformation)

상세내용	• DX 핵심 과제 도출 및 실질적 Biz, 성과 창출 가속화 • AI 기술(문서 학습) 접목을 통한 기준 RPA 적용 범위 확대/확산 • 데이터 수집, 가공, 분석을 위한 파이프라인 설계 및 운영, 데이터 분석 시스템 지원 • 데이터 마이닝, 머신 러닝 기법 등을 활용한 데이터 분석 및 인사이트 도출 • DB 구조설계, DB서버구축 등
전공	• 통계학, 컴퓨터공학, 산업공학, 데이터 정보학, 빅데이터학과 등
근무지	• 서울특별시 영등포구, 경기도 과천시, 충청북도 청주시, 대전광역시 유성구
지원자격	• 경력직 지원의 경우 해당 분야 만 36개월 이상 필수 (지원서 작성 시점 기준) • 학위기간(재학)중의 경력은 기간에 산입하지 않음

	• 모집 분야 상세내역에 있는 필수요건이 우선임 • 해외여행에 결격사유가 없는 자, 남성의 경우 군필 혹은 면제자 (전문연구요원제도 선발 및 전직 불가) • 보훈대상자는 관련 법규에 의거함

(5) 시스템개발(R&D)

상세내용	• 시스템/전장제품 설계, HW개발 • 양산품 Functional Safety 인증 관리 및 Coordinating 수행
전공	• 전자전기공학/정보통신/기계공학/화학공학 등
근무지	• 대전광역시 유성구 • 경기도 과천시
지원자격	• 경력직 지원의 경우 해당 분야 만 36개월 이상 필수 (지원서 작성 시점 기준) • 학위기간(재학)중의 경력은 기간에 산입하지 않음 • 모집 분야 상세내역에 있는 필수요건이 우선임 • 해외여행에 결격사유가 없는 자, 남성의 경우 군필 혹은 면제자 (전문연구요원제도 선발 및 전직 불가) • 보훈대상자는 관련 법규에 의거함

(6) BMS개발(R&D)

상세내용	• BMS Hardware 회로 및 PCB 설계 • BMS Software 개발 • BMS 검증/평가, 프로세스 개정 등
전공	• 전자전기공학/정보통신/기계공학/화학공학 등
근무지	• 대전광역시 유성구 • 경기도 과천시
지원자격	• 경력직 지원의 경우 해당 분야 만 36개월 이상 필수 (지원서 작성 시점 기준) • 학위기간(재학)중의 경력은 기간에 산입하지 않음 • 모집 분야 상세내역에 있는 필수요건이 우선임 • 해외여행에 결격사유가 없는 자, 남성의 경우 군필 혹은 면제자 (전문연구요원제도 선발 및 전직 불가) • 보훈대상자는 관련 법규에 의거함

(7) Pack 개발(R&D)

상세내용	• Module/Pack 공정설계/기술, 제품설계, 검증/평가 등
전공	• 전자전기공학/정보통신/기계공학/화학공학 등
근무지	• 대전광역시 유성구 • 경기도 과천시
지원자격	• 경력직 지원의 경우 해당 분야 만 36개월 이상 필수 (지원서 작성 시점 기준)

	• 학위기간(재학)중의 경력은 기간에 산입하지 않음 • 모집 분야 상세내역에 있는 필수요건이 우선임 • 해외여행에 결격사유가 없는 자, 남성의 경우 군필 혹은 면제자 (전문연구요원제도 선발 및 전직 불가) • 보훈대상자는 관련 법규에 의거함

(8) Cell개발(R&D)

상세내용	• Cell 공정설계(chemistry & mechanical) • Cell 공정 요소기술 개발 • 제품설계, 검증/평가 등
전공	• 전자전기공학/정보통신/기계공학/화학공학 등
근무지	• 대전광역시 유성구 • 경기도 과천시
지원자격	• 경력직 지원의 경우 해당 분야 만 36개월 이상 필수 (지원서 작성 시점 기준) • 학위기간(재학)중의 경력은 기간에 산입하지 않음 • 모집 분야 상세내역에 있는 필수요건이 우선임 • 해외여행에 결격사유가 없는 자, 남성의 경우 군필 혹은 면제자 (전문연구요원제도 선발 및 전직 불가) • 보훈대상자는 관련 법규에 의거함

(9) 소재개발(R&D)

상세내용	• 바인더, 도전재, 집전체 및 파우치형 셀 부품 설계/적용 • 셀 성능 및 양산성 확보 • 전지 핵심영향 인자 파악 및 소재 설계 등
전공	• 전자전기공학/정보통신/기계공학/화학공학 등
근무지	• 대전광역시 유성구
지원자격	• 경력직 지원의 경우 해당 분야 만 36개월 이상 필수 (지원서 작성 시점 기준) • 학위기간(재학)중의 경력은 기간에 산입하지 않음 • 모집 분야 상세내역에 있는 필수요건이 우선임 • 해외여행에 결격사유가 없는 자, 남성의 경우 군필 혹은 면제자 (전문연구요원제도 선발 및 전직 불가) • 보훈대상자는 관련 법규에 의거함

② 상시인재 채용 전형절차 및 기타

전형절차	• 서류전형 > 인적성검사 > 1차면접 > 2차면접 > 건강검진 > 최종전형
접수기간 및 방법	• 접수기간 : 2021.02.24. ~ 2022.12.31. 23:00 • 접수방법 : 당사 채용 사이트를 통한 On-line 접수 - 우편접수, Email접수 및 방문접수는 받지 않습니다. - 각 전형결과 및 통보는 E-mail을 통해 진행되오니, E-mail 주소를 정확하게 기재하여 주시기 바랍니다.
기타	• 본 공고는 상시 채용을 위한 인재 Pool로 활용됩니다. • 신입 및 경력 모두 지원 가능하며, 마감일정이 있는 공채나 수시채용 공고와는 구분하시기 바랍니다. • 인재Pool에 등록된 지원서는 당사에서 수시, 비정기적으로 검토하며, 귀하의 지원 분야가 채용 Needs와 부합되는 경우 핸드폰 또는 e-mail 등으로 개별 연락을 드릴 예정입니다. 이후 귀하의 지원 분야가 채용 Needs와 부합되는 경우 별도 공고로 이관하여 함께 검토할 예정입니다. (이관되는 전형절차 준용) • 면접 대상자로 선정되신 분이 아니라면 별도의 결과 피드백을 드리지 않으니 참고 바랍니다.. • 특수 직무의 경우 필요시 PT면접 혹은 실기테스트 전형을 별도 실시 할 수 있습니다. • 당사의 사업들은 독자적인 기술로 이루어지고 있으며, 채용자들은 입사 후, 당사의 기술과 업무 매뉴얼을 바탕으로 업무를 하게 되므로 당사는 타 회사의 영업비밀을 필요로 하지 않으며, 필요한 경우 합법적인 방법과 절차를 통해 취득하여 사용합니다. 경력 지원자께서는 전 직장의 영업비밀을 침해하는 일이 없도록 각별히 유의하시기 바라며, 침해 시 본인의 책임임을 주지하여 주시기 바랍니다.

3) 취업팁과 이슈

① 채용현황

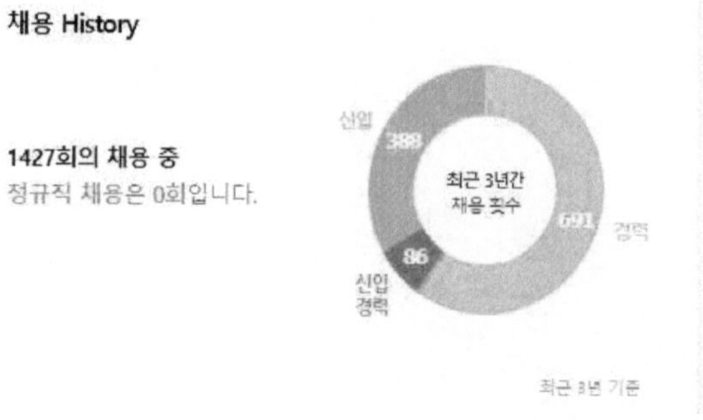

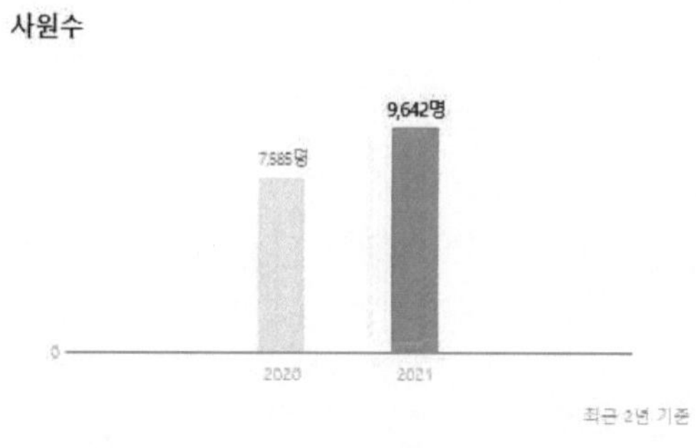

4) 참고내용

주요서비스	축전지 제조업
인재상	LG WAY에 대한 신념과 실행력을 겸비한 사람 PASSION - 꿈과 열정을 가지고 세계 최고에 도전하는 사람 INNOVATION - 고객을 최우선으로 생각하고 끊임없이 혁신하는 사람 ORIGINALITY - 팀웍을 이루며 자율적이고 창의적으로 일하는 사람 COMPETITION - 꾸준히 실력을 배양하여 정정당당하게 경쟁하는 사람
미션	LG WAY

2. 에코프로비엠

1) 기업소개[3)]

2016년 5월, 양극소재 사업 전문화를 위해 모기업 에코프로에서 물적분할한 에코프로비엠은 하이니켈계 양극소재 제품을 가장 먼저 개발하고 양산화에 성공함으로써 국내뿐 아니라 세계 고용량 양극소재 시장을 선도하고 있는 기업이다.

전기차(EV), 에너지저장시스템(ESS), 무정전전원장치(UPS), 스마트그리드, 항공우주용, 의료용, 군사용등 리튬이온 이차전지의 미래 성장성을 바탕으로 차세대 배터리 선두주자로 성장해 나가고 있다.

3) 에코프로비엠 홈페이지

<에코프로비엠 헝가리 양극재 공장>4)

에코프로비엠이 첫 해외 생산기지인 헝가리 양극재 공장을 착공했다. 오는 2024년 가동 목표를 달성, 유럽 내 주요 고객사의 수요에 적기 대응한다는 방침이다.

21일 에코프로비엠에 따르면 회사는 지난달 데프렌체시 소재 양극재 신공장 사무동 건물 공사에 착수한데 이어 이달 생산동 공사에 돌입했다. 내년 3월게 착공식을 개최할 예정이다.
헝가리 신공장 인근에는 삼성SDI의 핵심 고객인 BMW가 10억 유로를 쏟아 연간 15만 대 규모의 완성차 공장을 짓고 있다. 삼성SDI는 에코프로비엠의 하이니켈 양극재를 적용한 젠5(5세대) 배터리를 BMW에 공급하고 있다. 삼성SDI는 BMW와 지난 2019년 20억 유로 규모 공급 계약을 체결, 작년부터 10년 간 배터리를 납품한다.

에코프로비엠은 북미 진출도 추진하고 있다. 지난 7월 SK온, 포드와 함께 북미 지역 공동 투자를 위한 1조원 규모 투자의향서(LOI)를 체결했다. 양극재 생산시설 구축을 위해 부지를 물색중인 가운데 캐나다 퀘벡주 베캉쿠아가 유력 후보로 거론된다. 북미 공장에서 생산된 양극재는 SK온과 포드의 합작 배터리 법인 '블루오벌SK'에 공급될 전망이다.

에코프로비엠은 공격적인 투자를 통해 양극재 생산능력을 대폭 확대할 계획이다. 지난해 7만7000t 수준에서 올해 12만5000t으로 늘린다. 기존 국내 공장은 물론 해외 신규 생산거점이 본격 가동되는 오는 2026년까지 연간 생산능력을 55만t으로 끌어올린다는 목표다.

4) 에코프로비엠 헝가리 양극재 공장 첫삽…2024년 양산 목표 / 더구루

2) 채용공고 소개[5)]

① 2022 하반기 경력사원 채용(미래소재)

담당업무	• 차세대 SIB 양극재, 음극재 개발
자격요건	• 석사이상 • 경력 8년 이상
우대사항	• 전구체 개발 경험 • 실리콘 음극재 개발 경험
근무지역	• 청주
공통사항	• 가족사/포지션 중복 지원은 불가하며, 근무지가 여러 곳인 경우 1지망, 2지망 선택 가능합니다. • 근무지 중 "해외" 표기된 포지션은 해외 Site 단기/중장기 출장이 이루어질 수 있으며, 면접 시 간단한 영어 구술 Test도 진행될 수 있습니다. ※ 서류전형은 12월 중 진행되며, 면접전형은 포지션 별로 진행 시기가 상이합니다. 타 채용전형 진행에 따라 일부 포지션은 다소 지연될 수 있습니다.
공통 우대사항	• 영어회화 가능자 우대 • OA 관련 자격증 소지자 우대
접수방법	• 홈페이지 지원
전형절차	• 서류전형 > 인적성 검사 > 1차면접 (실무) > 2차면접 (경영진) > 입사/교육
유의사항	• 그룹사별 중복지원은 불가합니다.

② 2022 하반기 경력사원 채용 (미래전략)

담당업무	• 배터리, 에너지 관련 신사업 / 과제 발굴 및 관리 • 국내외 논문 및 최신기술 조사 분석 • 신규과제 아웃소싱 파트너 발굴 • 제품 프로모션 및 고객대응
자격요건	• 4년제(학사)졸 이상 • 경력 5년 이상
우대사항	• 소재 연구개발 경험 • 기술 분석 및 전략 수립 경험 • 신규 소재 및 신사업 추진 경험 • 외국어 능력 우수자
근무지역	• 청주

5) 잡코리아

공통사항	• 가족사/포지션 중복 지원은 불가하며, 근무지가 여러 곳인 경우 1지망, 2지망 선택 가능합니다. • 근무지 중 "해외" 표기된 포지션은 해외 Site 단기/중장기 출장이 이루어질 수 있으며, 면접 시 간단한 영어 구술 Test도 진행될 수 있습니다. ※ 서류전형은 12월 중 진행되며, 면접전형은 포지션 별로 진행 시기가 상이합니다. 타 채용전형 진행에 따라 일부 포지션은 다소 지연될 수 있습니다.
공통 우대사항	• 영어회화 가능자 우대 • OA 관련 자격증 소지자 우대
접수방법	• 홈페이지 지원
전형절차	• 서류전형 > 인적성 검사 > 1차면접 (실무) > 2차면접 (경영진) > 입사/교육
유의사항	• 그룹사별 중복지원은 불가합니다.

③ 2022 하반기 경력사원 채용 (NCA/NCM 개발)

담당업무	• NCA/NCM 양극활물질 기술 개발
자격요건	• 4년제(학사)졸 이상 • 재료, 소재, 화학, 화공, 전지, 물리 전공
우대사항	• 박사 학위 보유자, 경력 5년 이상 • 이차전지, 양극활물질, 전구체 합성, 분체설비 관련 경력자 • 분체공정(합성, 소결, 분쇄) 등 재료, 공정 관련 학위 보유자 • Plant 설비 Set-up 및 소재 시운전 경력자
근무지역	• 청주
공통사항	• 가족사/포지션 중복 지원은 불가하며, 근무지가 여러 곳인 경우 1지망, 2지망 선택 가능합니다. • 근무지 중 "해외" 표기된 포지션은 해외 Site 단기/중장기 출장이 이루어질 수 있으며, 면접 시 간단한 영어 구술 Test도 진행될 수 있습니다. ※ 서류전형은 12월 중 진행되며, 면접전형은 포지션 별로 진행 시기가 상이합니다. 타 채용전형 진행에 따라 일부 포지션은 다소 지연될 수 있습니다.
공통 우대사항	• 영어회화 가능자 우대 • OA 관련 자격증 소지자 우대
접수방법	• 홈페이지 지원
전형절차	• 서류전형 > 인적성 검사 > 1차면접 (실무) > 2차면접 (경영진) > 입사/교육
유의사항	• 그룹사별 중복지원은 불가합니다.

④ R&D 테크니션(운영직) 수시채용

담당업무	• 소재 구조, 화학 분석 장비 운영 (TEM, SEM 등) • 코인셀 제작 및 평가 • 풀셀 제작 및 평가

자격요건	• 고졸 이상
우대사항	• 이차전지 제조 경험 • 분석 장비 유지/보수 경험
근무지역	• 오창
공통사항	• 가족사/포지션 중복 지원은 불가하며, 근무지가 여러 곳인 경우 1지망, 2지망 선택 가능합니다. • 근무지 중 "해외" 표기된 포지션은 해외 Site 단기/중장기 출장이 이루어질 수 있으며, 면접 시 간단한 영어 구술 Test도 진행될 수 있습니다. ※ 서류전형은 12월 중 진행되며, 면접전형은 포지션 별로 진행 시기가 상이합니다. 타 채용전형 진행에 따라 일부 포지션은 다소 지연될 수 있습니다.
접수방법	• 홈페이지 지원
전형절차	• 서류전형 > 인적성 검사 > 1차면접 (실무) > 배치전 검진 > 입사/교육

3) 취업팁과 이슈

① 채용현황

채용 History

43회의 채용 중
정규직 채용은 5회입니다.

사원수

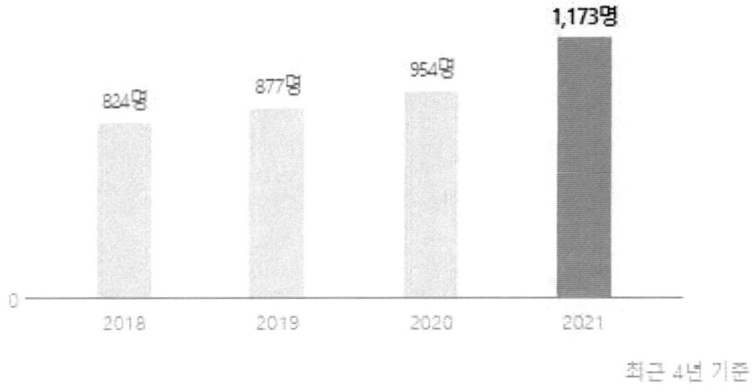

4) 참고내용

주요서비스	축전지 제조업
인재상	도전 - 최고를 지향하며 도전적 목표 달성을 위해 적극적으로 노력하는 인재 신뢰 - 최고를 지향하며 상호존중과 배려의 태도로 역할을 수행하는 인재 변화와 혁신 - 최고를 지향하며 끊임없이 성장을 위한 변화와 혁신을 즐기는 인재

3. 일진머티리얼즈

1) 기업소개[6)]

창립 이후 전자제품의 핵심소재인 Elecfoil 생산에 매진해왔던 일진Materials는 2차전지 산업의 성장과 함께 새로운 전환기를 맞이하였습니다. 2002년 Elecfoil이 2차전지의 5대 소재 중 하나로 채택된 이후, Elecfoil 제품 중 2차전지용 Elecfoil 비중이 크게 확대 되고 있다.

이를 통해 첨단 그린 에너지 소재산업의 성장가능성에 주목한 일진Materials는 특유의 도전정신으로 R&D에 역량을 집중한 결과, 2차전지 분야로 사업영역을 확장하게 되었다.

일진Materials는 앞으로 국내 최고 Elecfoil 전문기업으로서의 입지를 확고히 다지는 한편, 신규사업으로 추진하고 있는 5G용 소재의 확장을 통해 첨단 소재산업의 글로벌

6) 일진머티리얼즈 홈페이지

리더로서 면모를 갖출 것으로 기대 된다.

<스페인정부 250억 인센티브 제공>[7)]
스페인 정부가 현지에 동박 공장 건설을 추진 중인 일진머티리얼즈에 250억원 규모의 인센티브를 제공한다. 일진머티리얼즈는 국내 소재사 중 최초로 스페인에 유럽 전기차 허브를 구축하는 대형 프로젝트에 포함됐다. 일진머티리얼즈는 유럽 시장 공략을 위한 현지 생산기지로 스페인을 낙점했다.

일진머티리얼즈는 14일 유럽법인인 'IMS Technology Europe(이하 IMS)'가 스페인 정부로부터 250억원의 현금 인센티브를 유치했다고 밝혔다. IMS는 올해 12월 200억원을, 이듬해 50억원을 지원받는다.

IMS는 스페인 카탈루냐주에 총 5000억원을 투입해 연산 3만톤 규모의 동박 공장을 건설한다. 상업가동 시기는 2024년으로 예정돼 있다. 스페인 정부는 일진머티리얼즈의 동박 공장을 유치하기 위해 15만평 규모의 태양광발전소 인근 부지를 무상 제공하기로 했다.

일진머티리얼즈는 스페인 정부의 현금 인센티브와 공장 부지 제공 등으로 현지 생산원가를 크게 낮출 수 있게 됐다. 스페인 정부가 일진머티리얼즈에 파격적인 조건을 내세운 건 현지에 전기차 및 배터리 밸류체인을 구축하기 위해서다.

EU는 유럽 국가의 배터리 내재화를 위해 현지 기업에 다양한 투자 인센티브를 제공하고 있다. EU는 스페인에 공적자금지원 프로젝트(Next Generation EU) 명목으로 700억유로(약 95조원)를, 페르테(Perte)를 통해 배터리 및 관련 기업을 대상으로 30억유로(4조837억원)의 지원금을 책정했다.

배터리는 스웨덴 노스볼트(Northvolt) 등 EU의 회원국에 속한 기업이 직접 생산하도록 하고, 소재는 아시아 국가로부터 조달받는게 EU가 그린 배터리 내재화 전략이다. 이를 통해 EU 내 제조업을 육성하도록 하는 것이다. 실제 노스볼트는 폭스바겐과 볼보, BMW 등에 납품할 계획이다. 노스볼트는 지난 7일(현지시간) 볼보와 조인트벤처를 설립, 스웨덴 예텐보리에 기가팩토리를 건설하기로 했다.

이렇듯 EU는 배터리 내재화를 위해 생산기지를 유치하고 있고, 일진머티리얼즈는 스페인 정부로부터 인센티브를 제공받게 됐다. IMS가 받게 될 인센티브 또한 EU가 책정한 Perte 예산의 일부이다. 일진머티리얼즈는 국내 전지 소재사 중 최초로 폭스바겐그룹이 스페인에 구축 중인 프로젝트(Future: Fast Forward)에 포함됐다.

7) EU '배터리 내재화 플랜' 포함된 일진머티리얼즈...스페인 정부 250억 인센티브 제공 / 블로터

일진머티리얼즈가 유럽 자동차 메이커의 밸류체인에 포함된 만큼 향후 납품사를 확대할 수 있을지 관심이 모아진다. 특히 롯데케미칼은 일진머티리얼즈 인수를 추진 중인 만큼 롯데그룹의 배터리 소재 포트폴리오인 분리막과 양극박, 전해액 첨가제 등의 시장 확대도 기대된다.

2) 채용공고 소개

① 2022년 상반기 일진머티리얼즈 신입 및 경력사원 수시채용

(1) 대졸

채용 부문		담당업무 / 우대사항	경력(신입)	근무지
Elecfoil 사업본부	생산	• 담당업무 - 생산 및 공정관리 - 생산량 (수율, 불량률) 및 장비가동율, 진척율 관리 - 공정별 주요 설비 관리	사원 ~ 대리	전북익산
	환경	• 담당업무 - 공장 내 폐기물, 유해화학물질 관리 - 폐기물 배출 사업장 관리 - 폐기물보관장 관리 • 우대사항 - 수질환경기사 우대 - 대기환경기사 우대	대리 ~ 과장	전북익산
	품질	• 담당업무 - 품질관리 (QC) - 재공, 재고 불량 검사 (불량 유출 방지) - 품질문제 (반품, VOC, Claim) 확인 및 대책 수립 - 수입검사 (원/부자재 입고 검사) • 우대사항 - 영어 능통자	사원 ~ 대리	전북익산
	안전 / 보건	• 담당업무 - 안전보건 관리체계구축 - 재해 발생 시 재발방지 대책 수립 및 조치 - 안전교육계획 수립 및 실시 • 우대사항 - 중대재해 전담조직	대리 ~ 과장	전북익산

(2) 석/박사(연구소)

채용 부문	담당업무 및 연구분야 / 우대사항	경력(신입가능)	근무지
Elecfoil 연구개발	• 담당업무 및 연구분야 - 신규 Elecfoil 생산고도화 공정기술개발 - 신규 Elecfoil 물성 선행기술개발 - 차세대 소재(전고체 집전체) 개발 • 우대사항 - 전해도금관련 연구/근무 경험 우대	사원급	전북 익산

(3) 응시자격 및 지원방법

응시자격	- 4년제 대학(원) 졸업자 및 2022년 8월 졸업 예정자 - 남자는 군필 또는 면제자로 해외여행에 결격사유가 없는 분 - 외국어 능통자 및 관련 자격증 소지하신 분 우대 ※ 당사는 전형과정중 성별, 연령에 의한 차별을 두고 있지 않습니다.
지원방법	- 당사 홈페이지 온라인 입사지원
전형절차	-

② 2022년 상반기 신입 및 경력사원 채용(연구소(의왕) 배터리 소재 개발)

담당업무 및 연구분야	• 차세대 배터리 전극 활물질 개발 실무, 개발 제품의 평가법 확립 • 차세대 배터리 전극 활물질 분야 신기술/공정/설비 발굴/제안 • 차세대 배터리 소재 발굴/기술기획
우대사항	• 음극 연구 경력 우대 • 영어우수자 우대
근무지	• 경기도 의왕
전형절차	• 서류전형 > 1차 실무진 면접 > 2차 임원면접 > 최종합격 • 전형별 합격자에 한하여 개별 통보드립니다.
응시자격	- 남자는 군필 또는 면제자로 해외여행에 결격사유가 없는 분 - 외국어 능통자 및 관련 자격증 소지하신 분 우대 ※ 당사는 전형과정중 성별, 연령에 의한 차별을 두고 있지 않습니다.
지원방법	- 당사 홈페이지 온라인 입사지원

③ 2022년 상반기 신입 및 경력사원 채용(연구소(의왕) 전고체 개발)

담당업무 및 연구분야	• 황화물 고체전해질 합성(액상) 및 평가 • 전고체전지 제작 및 평가 • Li2S 합성 및 평가
우대사항	• 관련업종 경력자 우대
근무지	• 경기도 의왕

전형절차	• 서류전형 > 1차 실무진 면접 > 2차 임원면접 > 최종합격 • 전형별 합격자에 한하여 개별 통보드립니다.
응시자격	- 남자는 군필 또는 면제자로 해외여행에 결격사유가 없는 분 - 외국어 능통자 및 관련 자격증 소지하신 분 우대 ※ 당사는 전형과정중 성별, 연령에 의한 차별을 두고 있지 않습니다.
지원방법	- 당사 홈페이지 온라인 입사지원

④ 2022년 상반기 신입 및 경력사원 채용(연구소(의왕) 점착제 개발)

담당업무 및 연구분야	• 점착제 기계적 물성 측정 및 물리적 물성 분석 • 점착 소재 중합 및 코팅 • 점착제 소재에 대한 중합 및 이해를 바탕으로 고객의 니즈에 맞는 제품 디자인 설계 • 모바일, 디스플레이, 반도체 프로세스 이행 및 제품 개발
우대사항	• OCA 신제품 개발 경험 우대
근무지	• 경기도 의왕
전형절차	• 서류전형 > 1차 실무진 면접 > 2차 임원면접 > 최종합격 • 전형별 합격자에 한하여 개별 통보드립니다.
응시자격	- 남자는 군필 또는 면제자로 해외여행에 결격사유가 없는 분 - 외국어 능통자 및 관련 자격증 소지하신 분 우대 ※ 당사는 전형과정중 성별, 연령에 의한 차별을 두고 있지 않습니다.
지원방법	- 당사 홈페이지 온라인 입사지원

⑤ 2022년 상반기 신입 및 경력사원 채용 (연구소(익산) Elecfoil 연구개발)

담당업무 및 연구분야	• 신규 Elecfoil 생산고도화 공정기술개발 • 신규 Elecfoil 물성 선행기술개발 • 차세대 소재(전고체 집전체) 개발
우대사항	• 전해도금관련 연구/근무 경험 우대
근무지	• 전북 익산
전형절차	• 서류전형 > 1차 실무진 면접 > 2차 임원면접 > 최종합격 • 전형별 합격자에 한하여 개별 통보드립니다.
응시자격	- 남자는 군필 또는 면제자로 해외여행에 결격사유가 없는 분 - 외국어 능통자 및 관련 자격증 소지하신 분 우대 ※ 당사는 전형과정중 성별, 연령에 의한 차별을 두고 있지 않습니다.
지원방법	- 당사 홈페이지 온라인 입사지원

⑥ 2022년 상반기 신입 및 경력사원 채용 (융복합 사업 배터리 소재 개발/제조)

담당업무	• 배터리소재 제조 라인 구성 • 배터리소재 공정기술 확립 및 수율개선 • Operator 관리 및 제조 시스템 구현
우대사항	• 전극공정 개발/제조 경험 보유자 우대
근무지	• 경기도 의왕
전형절차	• 서류전형 > 1차 실무진 면접 > 2차 임원면접 > 최종합격 • 전형별 합격자에 한하여 개별 통보드립니다.
응시자격	- 4년제 대학(원) 졸업자 및 2022년 8월 졸업 예정자 - 남자는 군필 또는 면제자로 해외여행에 결격사유가 없는 분 - 외국어 능통자 및 관련 자격증 소지하신 분 우대 ※ 당사는 전형과정중 성별, 연령에 의한 차별을 두고 있지 않습니다.
지원방법	- 당사 홈페이지 온라인 입사지원

3) 취업팁과 이슈

① 채용현황

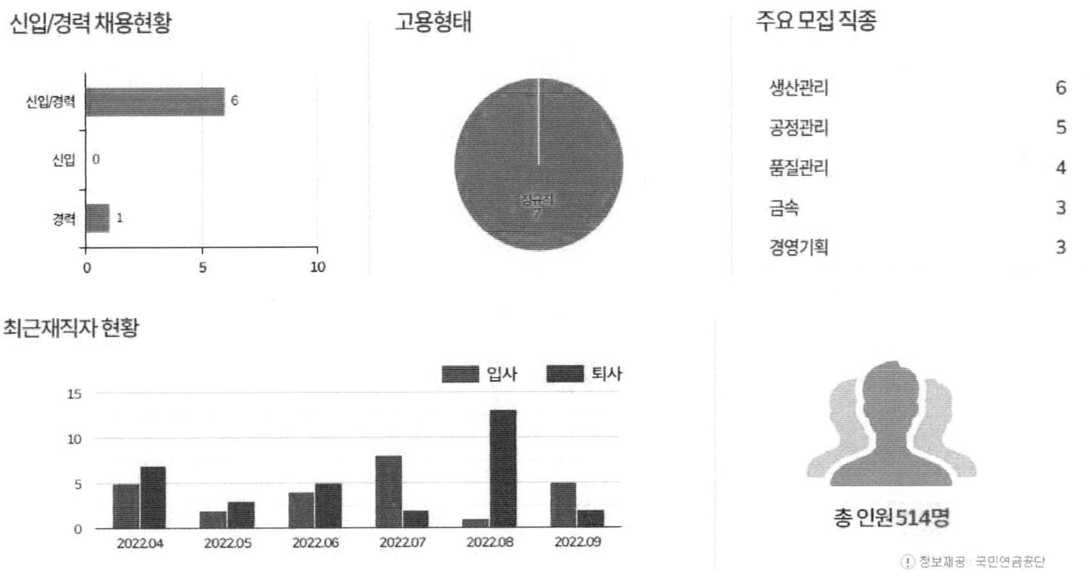

4) 참고내용[8]

주요서비스	Elecfoil, LED, ENERGY
인재상	창조적 사고, 도전정신, 세계최고 지향, 세계인으로서 기본소양
비전	최고의 제품과 서비스 창출로 인류발전에 기여하는 기업으로 자리매김하겠습니다.
핵심가치	도전정신, 기술선도, 인재존중, 최고지향, 변화혁신

4. 코스모신소재

1) 기업소개[9]

코스모신소재(주)

기존의 기록미디어사업과 더불어 2차 전지용 양극활물질, 컬러토너 및 MLCC이형필름, 반도체 package용 점착필름, 할로겐프리 인슐레이션필름 등 차세대 성장동력인 분체사업과 디스플레이소재 사업으로 사업영역을 확대하고 있으며, 한발 앞선 핵심기술개발을 바탕으로 IT관련 소재사업으로의 위상을 강화해 나가고 있다.

<코스모신소재 “하이니켈 양극재 대규모 추가투자 검토”>[10]

코스모신소재(대표 홍동환)가 전기차(EV)에 사용되는 하이니켈 NCM(니켈·코발트·망간) 이차전지 양극활물질 설비에 대한 대규모 추가 투자를 검토하고 있다. 장기적으로 국내에서만 하이니켈계 양극활물질 15만톤 이상의 설비 능력을 갖추는 것을 목표로 공격적인 증설에 나선다는 계획이다.

---

8) 인크루트
9) 코스모신소재 홈페이지
10) 코스모신소재 “하이니켈 양극재 대규모 추가 투자 검토” / 매일경제

6일 코스모신소재 관계자는 “고객사 요구에 따른 공급량 대응과 미국의 IRA(인플레이션감축법) 시행을 앞두고 한국의 양극재 수요가 확대되는 상황에서 시장 요구에 대응하기에는 현재 설비능력이 턱없이 부족하다고 판단했다”며 “추가 투자를 통해 하이니켈계 양극활물질 15만톤 이상을 생산할 수 있는 능력을 갖출 경우 10조 이상의 매출이 가능할 것으로 보고 있다”고 전했다.

앞서 코스모신소재는 지난해 설비 증설에만 1500억을 투자하며 5만톤을 증설, 7만톤의 설비능력을 갖춘다는 계획을 발표하고 투자를 진행해왔다. 이번 대규모 추가 투자 검토는 당초 알려진 증설 계획 대비 2배를 웃도는 규모다.

코스모신소재가 이처럼 적극적인 대규모 추가 투자 검토에 나선 것은 최근 국내 배터리제조사들과 기존에 공급하던 에너지저장장치(ESS)용 양극활물질뿐만 아니라 신규 EV용 하이니켈계 양극활물질 공급 논의도 무르익고 있기 때문이다.

회사 측에 따르면 코스모신소재는 기존 고객사들의 양극활물질 개발과 동시에 또 다른 고객사와도 새로운 제품을 1월부터 공동개발하고 있다. 2023년 양산테스트, 2024년 공급을 목표로 하고 있으며 규모도 상당한 것으로 알려졌다. 이러한 절차가 완료되면 국내 주요 배터리 3사와 모두 거래를 하게 돼 대규모 추가 투자가 불가피하다는 설명이다.

양극활물질 투자 중 일부인 전구체 투자도 2023년 3월 생산을 목표로 진행하고 있다. 지속적인 투자를 통해 자체 공급률을 30%까지 끌어 올린다는 계획이다.

<수직계열화 통해 원료부터 양극재까지 밸류체인 구축 진행> 11)

김승한 한국금융분석원 연구원은 “코스모신소재 전체 매출에서 차지하는 비중은 2021년 기준 이차전지 양극화물질 약 60%, MLCC 이형필름 약 40%이며, 두가지 부문 모두 전방산업이 지속적 으로 확대되고 있어 생산능력 증설이 진행되고 있다”고 밝혔다.

김승한 연구원은 “코스모신소재는 MLCC 이형필름 증설에 따라 생산 능력이 월 5500만㎡에서 6,00만~7000만㎡ 규모로 확대될 전망이며, 향후에도 단계적 증설로 생산 능력을 계속 확대해 갈 예정”이라며 “이에 따라 MLCC 이형필름 글로벌 점유율 2위 일본 기업과의 점유율 격차는 보다 확대될 것으로 전망된다”고 설명했다.

김 연구원은 “현재 연간 2만5000톤 규모의 NCM 생산능력을 2023년 4만톤, 2024년

---

11) “코스모신소재, 수직계열화 통해 원료부터 양극재까지 밸류체인 구축 진행 중” / 뉴스투데이

7만톤으로 확대해 갈 예정이며, 추가 증설 규모는 전기차(EV)와 에너지저장장치(ESS)용 배터리 고객사들의 수요 증가에 따라 결정될 전망"이라며 "양극재 설비는 증설 완공 6개월후에 본격 가동된다는 점을 고려하면 매출규모 확대 효과는 2024~2025년에 큰 폭 반영될 것으로 예상된다"고 지적했다.

그는 "모회사 코스모화학의 폐배터리 리사이클링 시설투자 완료 및 코스모신소재의 전구체 설비 가동이 내년 하반기에 본격화되면 시너지 효과 강화가 기대된다"며 "코스모신소재 NCM 양극활물질 사업 확대 및 증설에 따른 매출증가 영향으로 지난해 전체 매출 비중의 약 60% 수준이었던 양극활 물질은 2023년에 약 70% 수준으로 증가하고, 이후에는 보다 확대될 것으로 전망된다"고 언급했다.

2) 채용공고 소개[12)]

① 전지재료 연구개발 신입/경력사원 모집

공통 자격요건	•성별 : 무관 •우대사항 - 국가유공자 - 장애인 - 보훈대상자
자격요건	•학력 : 석사 이상 또는 동등 이상 수준에 준하는 자 •경력 : 신입/경력 2년 이상 •신소재/재료공학, 화학공학, 금속공학, 에너지공학
우대사항	•양극재 개발 경험 보유자 •소재 설계 및 공정개발 유경험자(High-Ni, Mn-rich 단입자 등) •관련 업종 경력자 우대
담당업무	•이차전지 양극소재(전구체, 양극제) 기술개발 •소재 및 전지 특성 해석 •고객사 기술대응
전형절차	•서류전형 > 1차면접 > 2차면접 > 최종합격
접수방법	•접수방법 : 이메일 지원 •제출서류 : 1. 입사지원서(자사양식 다운) 2. 최종학교 성적/졸업증명서 3. 이력서에 기재한 자격증 사본 4. 주민등록등본, 초본(병역사항 기재되게 상세 출력)
유의사항	허위사실이 발견될 경우 채용이 취소될 수 있습니다.

12) 잡코리아

② 전지재료(생산관리, 공정기술, 연구개발) 신입/경력사원 모집

공통 자격요건	•성별 : 무관 •우대사항 - 국가유공자 - 장애인 - 보훈대상자

(1) 이차전지 생산관리

자격요건	•학력 : 학사 이상 또는 동등 이상 수준에 준하는 자 •경력 : 경력 5년 이상 •신소재/재료공학, 화학공학
우대사항	•관련 업종 경력자 우대
담당업무	•이차전지용 양극활물질 생산/공정관리 •공정 품질 모니터링 및 조치
전형절차	•서류전형 > 1차면접 > 2차면접 > 최종합격
접수방법	•접수방법 : 이메일 지원 •제출서류 : 1. 입사지원서(자사양식 다운) 2. 최종학교 성적/졸업증명서 3. 이력서에 기재한 자격증 사본 4. 주민등록등본, 초본(병역사항 기재되게 상세 출력)
유의사항	허위사실이 발견될 경우 채용이 취소될 수 있습니다.

(2) 이차전지 공정기술

자격요건	•학력 : 학사 이상 또는 동등 이상 수준에 준하는 자 •경력 : 신입 •신소재/재료공학, 화학공학
우대사항	•관련 업종 경력자 우대
담당업무	•이차전지용 양극활물질 생산/공정관리 •공정 품질 모니터링 및 조치
전형절차	•서류전형 > 1차면접 > 2차면접 > 최종합격
접수방법	•접수방법 : 이메일 지원 •제출서류 : 1. 입사지원서(자사양식 다운) 2. 최종학교 성적/졸업증명서 3. 이력서에 기재한 자격증 사본 4. 주민등록등본, 초본(병역사항 기재되게 상세 출력)
유의사항	허위사실이 발견될 경우 채용이 취소될 수 있습니다.

(3) 이차전지 연구개발

자격요건	•학력 : 학사 이상 또는 동등 이상 수준에 준하는 자 •경력 : 신입 / 경력 2년이상 •신소재/재료공학, 금속공학, 화학공학, 에너지공학
우대사항	•양극재 개발 경험 보유자 •소재 설계 및 공정개발 유경험자(High-Ni, Mn-rich단입자 등) •관련 업종 경력자 우대
담당업무	•이차전지용 양극소재(전구체, 양극제) 기술개발 •소재 및 전지 특성 해석 •고객사 기술대응
전형절차	•서류전형 > 1차면접 > 2차면접 > 최종합격
접수방법	•접수방법 : 이메일 지원 •제출서류 : 1. 입사지원서(자사양식 다운) 2. 최종학교 성적/졸업증명서 3. 이력서에 기재한 자격증 사본 4. 주민등록등본, 초본(병역사항 기재되게 상세 출력)
유의사항	허위사실이 발견될 경우 채용이 취소될 수 있습니다.

3) 취업팁과 이슈

① 채용현황

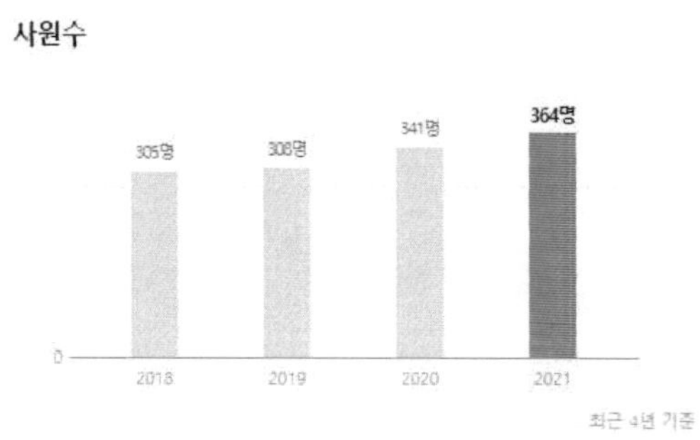

4) 참고내용

주요서비스	IT관련 소재사업, 기록미디어 사업
인재상	고객에 대한 책임, 팀웍, 자기혁신, 일에 대한 열정을 지닌 패기있고 변화하는 사람, 즉 프로정신을 가진 사람
비전	친환경 첨단소재 선두기업
미션	매출액 8,000억원/영업이익 800억원

5. 천보

1) 기업소개

천보는 1997년 창업이래 다양한 산업분야에 사용되는 기초화학 소재부터 고도의 기술력이 필요한 고부가가치의 정밀화학 및 전자재료용 소재까지 사업 영역을 지속적으로 확대, 발전해 왔다. LCD, OLED, 반도체, 이차전지, 의약품 등의 산업에 사용되는 핵심소재를 개발 공급하고 있다.

<천보, 내년 큰 폭 이익성장>

유안타증권은 12일 천보(278280)에 대해 내년 큰 폭의 외형 성장이 기대된다고 판단했다. 미국 인플레이션 감축법(IRA)로 인한 북미향 매출 비중도 상승할 전망이다. 투자의견 '매수', 목표주가 29만2000원을 각각 유지했다. 현재 천보 주가는 9일 기준 22만4200원이다.

이안나 유안타증권 연구원은 이날 보고서에서 "천보는 2023년 4분기 F전해질 4000톤 양산이 시작되며, 첨가제(VC·FEC) 6000톤도 3분기에 양산할 예정"이라며 "2022년에는 증설 효과가 미미했으나 2023년에는 1만2330톤 추가 증설이 예정돼 있어 외형 성장 폭이 클 것"이라고 전망했다.

[표 2] 2 차전지 소재 Capacity plan (단위: 톤)

구분	Current	2022	2023E	2024E	2025E	2025 연말 기준
LiFSI (F)	1,000		4,000	5,000	20,000	30,000
LiPO2F2 (P)	2,000	1,000		1,000	1,000	5,000
LiDFOP (D) (22% Solution)*	1,200					1,200
LiBOB (B)	500			500		1,000
TDT		200		400	200	800
FEC			3,000		3,000	6,000
VC			3,000	3,000	3,000	9,000
LiPFS (22% Solution)*			1,200			1,200
Other			1,130	2,570	3,200	6,900
Total	**4,700**	**1,200**	**12,330**	**12,470**	**30,400**	**61,100**

이 연구원은 "2023년 가격 경쟁력을 활용한 시장 점유율 확대 전략에도 불구하고 18%대의 영업이익률로 타 소재 대비 높은 이익률이 두드러질 것"이라고 덧붙였다.

아울러 IRA로 인한 북미향 매출 비중 상승도 기대된다는 판단이다. 이 연구원은 "IRA 정책으로 탈 중국 공급망 구축 움직임이 활발하다"며 "첨가제 중심으로 천보의 미국향 매출 비중 확대가 기대된다"고 전망했다. 이어 "특히 2023년부터 미국 내 배터리 셀 공장 확대로 인한 관련 수주 모멘텀 클 것"이라며 "천보는 2023년부터 고가의 리튬염(LiPF6)을 사용하지 않고 저렴한 원재료 변경을 통한 제조원가 30% 절감 제조법을 적용할 예정이다. 이를 통해 유럽, 미국 시장을 공략해 글로벌 시장점유율을 빠르게 확대하고자 한다"고 분석했다.

리튬인산철(LEP) 배터리의 높아진 에너지 밀도, 안정성 등으로 인해 전기차(EV) 기업들의 채택률이 확대되고 있는 점도 주목해야 한다고 봤다. 그는 "2022년 기준 LEP 채택을 선언한 EV 기업은 테슬라, 다임러, 폭스바겐, 포드, 현대차 등이다. LEP 배터리는 이온전도도를 높이기 위해 삼원계 대비 특수 전해질 비중이 높은 편"이라며 "특수 전해질의 경우 글로벌 플레이어 한정을 LEP 채택률이 확대될 경우 천보의 수혜가 클 것"이라고 내다봤다.

2) 채용공고 소개

① 2022년 하반기 각 부문별 인재 모집

(1) 모집분야 및 지원자격

모집 부문	모집 인원	담당 업무	지원 자격
연구개발 (본사)	신입/경력 (3명)	• 2차전지 소재(차세대 전해질, 신규 첨가제) 합성연구 • 전자재료(QLED, OLED, 반도체 소재) 합성연구 • 유기화학 합성연구(정밀화학, 의약품중간체) 합성연구	• 석사 이상(박사 우대) • 화학 및 화학관련 전공자
환경안전본부 (본사)	신입 (2명)	• PSM, KOSHA 18001 관리 • 화관법, 화평법 대응 • 사업장 환경관리	• 학사 이상 • 환경(대기, 수질)기사 자격증 소지자 • 화학, 화학공학, 환경, 안전공학 전공자
구매영업본부 (본사)	신입 (2명)	• 원부자재 구매 • 협력업체 관리 및 신규 업체 발굴 • 월 구매 마감	• 학사 이상 • 영어 또는 중국어 능통자 • 상경계열 전공자 우대

인사총무 (본사)	신입 (1명)	•IT 유/무형 자산 및 자원 관리 (PC, S/W, H/W, OA 기기 등) •PC 장애 등 인프라 이슈 대응 (Trouble shooting) •정보보호시스템 관리	•전산학, 컴퓨터공학, 정보통신공학 전공자 •PC 및 IT 기기 활용 능력 우수자
공장건설 (본사)	경력(1명)	•화학공장 건설	•학사 이상 •화학공학 전공자 •화학회사 Engineering 팀 근무 유경험자 •CAD 사용 가능자
생산본부 (영평공장)	신입/경력 (00명)	•합성, 생산 오퍼레이터 •생산관리	•고졸 이상 •화학회사 합성 경력 3년 이상 •화학 및 화학관련 전공자 우대
공무 (영평공장)	신입/경력 (2명)	•화학 공장 설비 유지보수	•화학공장 공무팀 경력 2년 이상 •공조냉동 기능사 우대 •에너지관리 기능사 우대 •충주 인근 거주자 우대
물류 (영평공장)	신입(1명)	•원재료 및 납품 관리 •원부재료 및 제품 이송 •창고 관리	•지게차 및 1종보통면허 소지자 •충주 인근 거주자 우대
미래연구소	신입/경력 (2명)	•공정 모델링 및 설계 - 신규 공정 및 열교환기 등 장치설계 - 기 제조 사업장의 공정 파악 및 모델링 - 공정 최적화(원단위, 에너지 최적화) •장치 모델링 및 설계 - 신규 공정에 대한 장치 설계 - 기제조 장치 개선을 위한 모델링 - 장치 최적화(운전 레시피 최적화)	•화학공장/화학 관련 전공자(학사, 석사, 박사) •공정 설계 또는 유동해석 유경험자 •플랜트 관련 교육 이수(우대)

(2) 근무형태 및 급여조건

채용형태	• 정규직
경력직 급여 조건	• 별도 협의
신입 사원 급여 조건	• 대졸 신입 사원 연봉 3,400만원 이상 • 휴일 근무 수당 별도 지급 • 연차 수당 별도 지급 • 연말 성과급 지급
근무지	• 본사 : 충북 충주시 주덕읍 당우리 중원산업단지 • 영평공장 : 충북 충주시 영평리 • 미래 연구소 : 경기도 수원시 영통구

(3) 복리 후생

연금보험	• 퇴직연금, 4대보험(국민연금, 건강보험, 산재보험, 고용보험)
근무환경	• 직원 기숙사(원룸) 제공 • 사내 식당 중식 무상 제공 • 다양한 포상제도 운영 : 원가절감, 환경안전, 우수성과 등 • 과장급 이상 유류비 지원 • 초대졸 사원 2년 근속 시 학업 지원
경조지원	• 경조휴가, 경조금, 경조화환 지원 • 출산 축하금 지원
Refresh	• 휴가자를 위한 콘도 회원권 보유 • 사내 동호회 지원 (축구, 볼링, 낚시 등)

(4) 전형절차

채용절차	서류전형 > 면접전형 > 최종합격
지원방법	온라인 지원

3) 취업팁과 이슈

① 채용현황

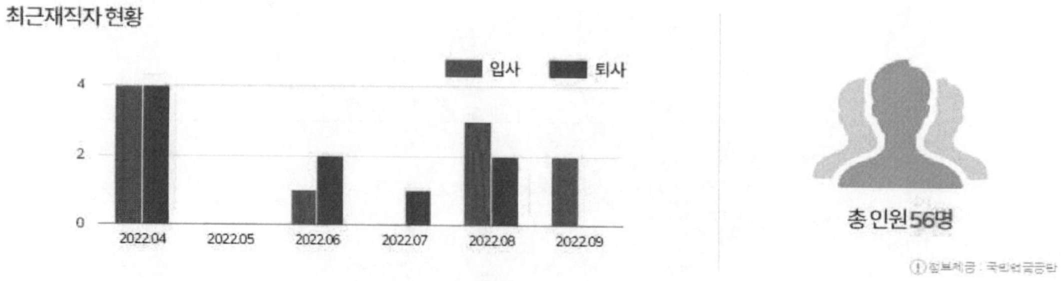

6. 피엔티

1) 기업소개[13]

<롤투롤 설비>

피엔티는 각종 롤루툴 컨버팅 기계를 주력으로 성장한 회사이다. 웹가이딩, 장력제어, 오토터렛, 오토스플라이싱, 코팅, 칼렌더링, 슬리팅 등 기반이 되는 기술에 강점이 있으며, 이를 통해 어떤 원단이든 공정 중에 주름 및 파단 없이 고속으로 주행될 수 있도록 기계를 설계하고 있다.

<전지분야의 최신기술 보유>

피엔티는 한국의 대표적인 전지제조사들과 지속적인 협력관계를 유지하고 있으며, 업계의 최신 트렌드 기술을 보유하고 있다. 2012년에 리튬이온전지 극판용 광폭코터를 개발한 이래로, 대량 생산을 위한 고속광폭 설비를 꾸준히 생산하고 있다. (극판 기재 폭 1450mm, 생산 속도 100m/min 이상)

<세계적인 수준의 기계 생산 능력>

최근 리튬이온 전지 업계의 급격한 증설 흐름에 맞추어, 구미에 위치한 10만 제곱미터 이상의 대형 신공장으로 확장 이전함으로서, 2공장, 3공장을 합쳐 총 연간 80대 이상의 코터 생산 능력을 갖추었다. 또한 직원의 80% 이상이 엔지니어로서, 납품 이후에도 전문적인 사후관리 서비스를 제공하고 있다.

---

13) 피엔티 홈페이지

<피엔티 등 장비株도 호재>[14]

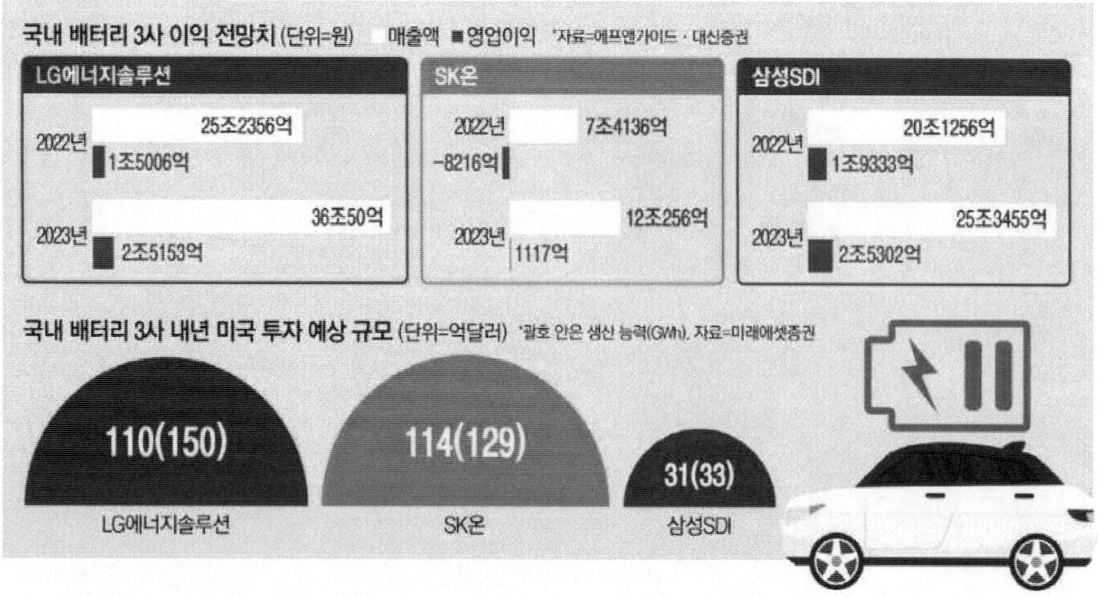

증권가에서는 올해에 이어 내년에도 2차전지 시장이 성장할 것으로 내다봤다. 특히 북미·유럽 시장에 투자가 집중될 것으로 보이는 가운데 투자 확장의 직접적인 수혜를 받는 완성 배터리 기업과 장비 기업에 주목해야 한다는 조언이 나온다. 배터리 업체 중에서는 삼성SDI, 장비 기업으로는 피엔티, 소재 기업으로는 에코프로비엠이 주목해야 할 기업으로 꼽혔다. 다만 향후 3~4년간 대규모 투자 집행이 예정돼 있어 현금흐름을 꼼꼼히 살펴봐야 한다는 지적이 나온다.

최근 2차전지 시장에서 가장 큰 우려 요인으로 지목된 것은 전기차 시장의 성장률이 둔화될 것이라는 예상이었다. 주민우 NH투자증권 연구원에 따르면 2023년 글로벌 전기차 판매 대수는 1498만대로 예상된다. 이는 올해 대비 40% 증가한 수준이지만 올해 성장률인 60%에 비하면 성장률이 다소 둔화되는 셈이다.

그러나 완성차 시장과는 별개로 2차전지 시장의 실적 증대는 계속될 것으로 보인다. 완성차 기업들은 여전히 배터리 공급이 부족해 물량을 확보하기 위해 노력하고 있기 때문이다. 이안나 유안타증권 연구원은 "완성차 기업들은 반도체와 배터리 부족으로 신차 출시를 미루고 있다"며 "이들의 생산량은 반도체·배터리 수급에 의해 조절되기 때문에 배터리 기업들이 가동률을 최대한 올려 물량에 대응해주길 원하고 있다"고 말했다.

이에 힘입어 국내 배터리 3사의 내년 실적은 올해 대비 대폭 개선될 것으로 보인다. 금융정보업체 에프앤가이드에 따르면 LG에너지솔루션의 내년 영업이익은 2조5153억원으로 전년(1조5006억원) 대비 67% 증가할 것으로 보인다. 삼성SDI 역시 내년 영업

14) 전기차 성장률 꺾여도 … '꺾이지 않을' 배터리株 실적 / 매일경제

이익이 2조5302억원으로 전년(1조9333억원)보다 31%가량 늘어날 것으로 전망됐다. 대신증권은 SK온의 영업이익이 내년에 흑자전환해 1117억원 수준을 보일 것으로 내다봤다.

특히 신규 수주와 증설이 집중될 것으로 보이는 미국·유럽에서의 투자에 주목해야 한다는 분석이다. 주 연구원은 "2023년에 시행될 예정인 미국 인플레이션 감축법(IRA)은 결국 미국 전기차 시장 성장의 촉매제가 돼 국내 업체들이 낙수 효과를 누릴 수 있을 것으로 기대된다"고 말했다. 특히 지난 6년간 양적 성장에 집중했던 국내 배터리 3사의 의미 있는 수익성 개선이 내년부터 나타날 것이라고 내다봤다. 미래에셋증권에 따르면 LG에너지솔루션은 내년에 110억달러, SK온은 114억달러, 삼성SDI는 31억달러를 미국에 투자할 것으로 보인다.

배터리 기업 중에서는 공통적으로 삼성SDI의 주가 흐름이 기대된다는 분석이 많았다. 외형 성장에 대한 기대감은 LG에너지솔루션 등 경쟁사에 비해 떨어지지만 기업가치가 저평가돼 있다는 판단 때문이다. 이 연구원은 "삼성SDI는 (11월 말 기준) LG에너지솔루션 대비 70% 이상 할인된 가격에 거래되고 있다"며 "그럼에도 10%에 육박하는 높은 이익률을 기록하고 있고, 2023년 수주 모멘텀이 강한 만큼 외형과 이익 성장폭도 크다"고 설명했다.

장비 기업도 배터리 기업 이상의 수혜가 예상된다. 미국에 설립되는 완성차 기업들의 공장 규모가 기존 중국, 헝가리와 폴란드에 비해 크기 때문이다. 박준서 미래에셋증권 연구원은 "2차전지 기업들의 투자(CAPEX)에서 장비 비중은 공장의 위치마다 상이하지만 통상 30~40%에서 50%까지 높아지며, 공장 규모가 크면 클수록 CAPEX에서 장비가 차지하는 비중은 높아진다"고 말했다.

피엔티가 증권가에서 2차전지 장비 기업들 중 현재 가장 주목받고 있는 이유다. 피엔티는 내년 배터리 3사의 미국 투자 수혜를 공통적으로 입을 것으로 보인다. 박 연구원은 "피엔티는 내년 매출액이 전년 대비 149%, 영업이익은 53% 증가할 것으로 보인다"며 "실적 추정치를 매출액은 14%, 영업이익은 13% 상향 조정한다"고 말했다. 국내 경쟁사 대비 밸류에이션도 낮은 편이다. 삼성증권에 따르면 20일 기준 피엔티의 주가수익비율(PER)은 19.32배로 경쟁사 티에스아이(151.64배), 씨아이에스(36.95배) 대비 낮은 수준이다.

2) 채용공고 소개[15)]

① 제조기술 사원 모집 (기계조립, 설치, 시운전)

담당업무	• CAD 도면 해독 후 기계조립, 설치, 시운전
자격요건	• 학력 : 고졸이상 • 경력 : 경력무관
우대사항	• 동종업계 경력(2년이상)
전형절차	• 서류전형 > 1차면접 > 최종합격
유의사항	• 허위사실이 발견될 경우 채용이 취소될 수 있습니다.

② 전기전자제어 사원모집(PLC, 터치스크린, 인버터, 서보모터)

담당업무	• PLC, 터치스크린, 인버터, 서보모터 • 미쯔비시, 지멘스 등 - 4년제 신입 기준 연봉 : 4,000만원
자격요건	• 학력 : 고졸이상 • 경력 : 경력무관
우대사항	• 동종업계 경력(2년이상)
전형절차	• 서류전형 > 1차면접 > 최종합격
유의사항	• 허위사실이 발견될 경우 채용이 취소될 수 있습니다.

③ 기계설계(auto cad 2D, 3D inventor) 사원모집

담당업무	• 기계설계 : auto 2D, 3D inventor - 4년제 신입 기준 연봉 : 4,000만원
자격요건	• 학력 : 고졸이상 • 경력 : 경력무관
전형절차	• 서류전형 > 1차면접 > 최종합격
유의사항	• 허위사실이 발견될 경우 채용이 취소될 수 있습니다.

15) 잡코리아

3) 취업팁과 이슈[16)]

① 채용 현황

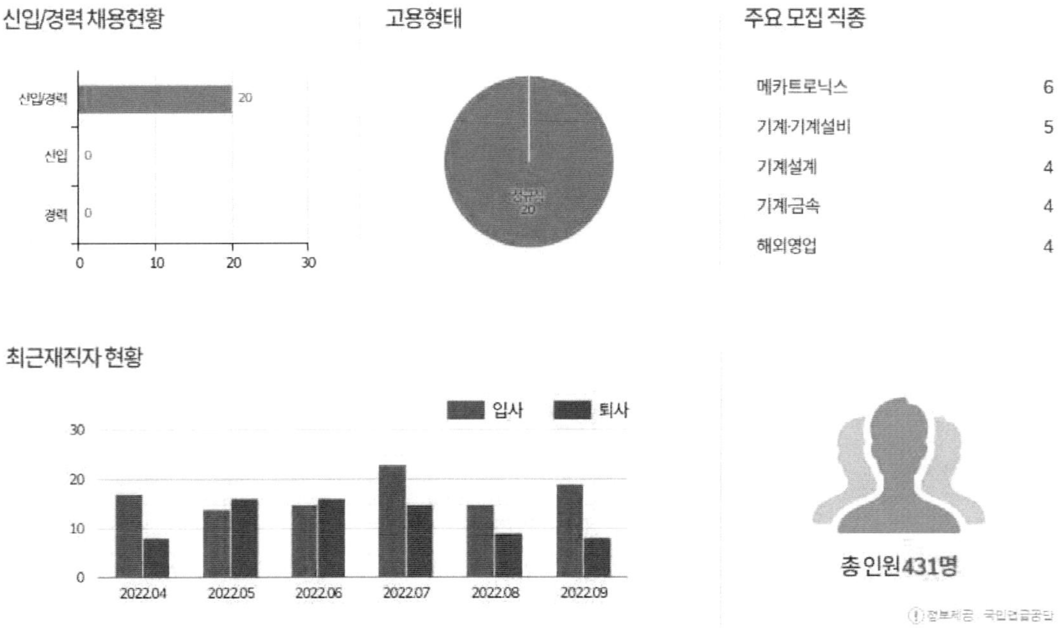

4) 참고내용

주요서비스	필름사업, 전지사업, 동박사업, 부직포사업, 수처리사업
인재상	책임감, 도전정신, 인화력
비전	21세기 Global No1. Company

16) 인크루트

2. 2차 전지 관련 기본개념들

II 2차 전지

1. 전지의 개요

전지라는 단어가 익숙하지 않은 사람들에게 전지는 배터리라고도 불리고 있다. 배터리는 화학전지라고도 불리며, 화학전지는 위에서 살펴보았듯이 화학 반응을 통해 전기를 얻는다. 화학전지는 크게 1차전지, 2차전지, 연료 전지로 나눌 수 있다.

그렇다면 전지에서는 어떤 화학반응을 통해 전기를 발생시키는 것일까? 먼저, 전류가 형성되는 과정을 살펴보면, 반응성이 다른 금속 두 개를 각자 전해질에 잠그고, 이 두 금속을 도선으로 연결하면 전류가 발생하는데, 이때 반응성이 큰 금속은 이온화가 되면서 전해액에 녹게 되고, 이때 발생되는 전자가 이동하면서 전류가 형성된다.

이때, 반응성이 큰 금속으로 이루어진 금속에서는 산화반응이 일어나며 이 전극을 (-)극이라고 한다. 반대로, 상대적으로 반응성이 낮은 금속에서는 환원 반응이 일어나며 이 전극을 (+)극이라고 한다. 전자는 (-)극에서 도선을 통해 (+)극으로 이동하며, 전류는 반대로 (+)극에서 도선을 통해 (-)극으로 이동한다.

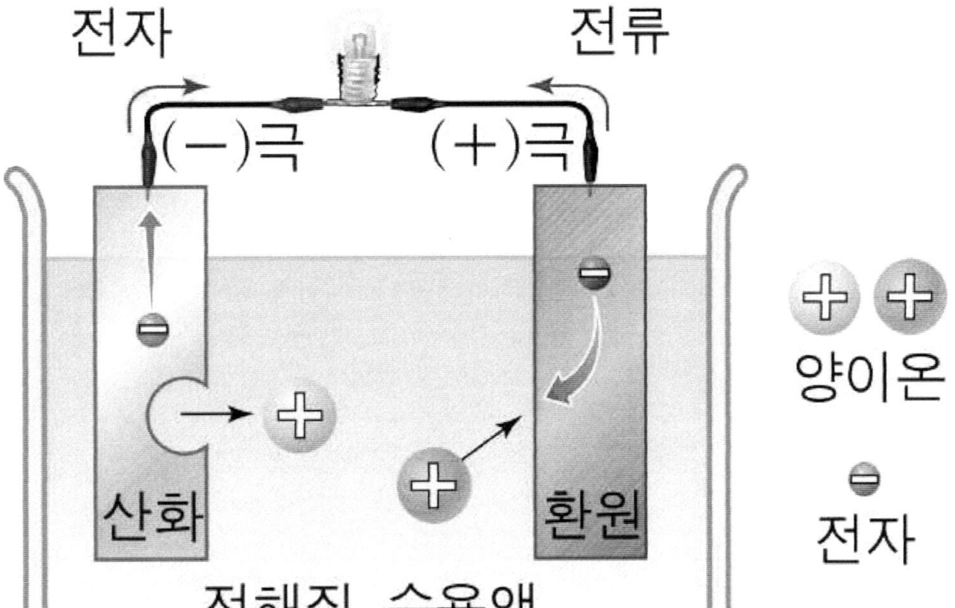

[17]

[그림 20] 전지의 화학반응

이렇게, 전극과 전해액으로 구성되는 완전한 전지를 "셀(Cell)"이라고 하며, 셀의 전압 크기는 사용된 전해액, 금속과 같은 화학재료에 따라 대부분 1.2V, 1.5V, 2.0V, 3.7V의 전압을 가지며, 6V, 9V, 12V 등의 배터리에는 셀 여러개가 직렬로 연결되어 있는 형태를 띤다.

---

17) 출처 : Zum 학습백과

전지의 용량은 암페시어(Ah: A/H) 혹은 밀리암페시어(mAh)로 나타낸다. 이때, 1Ah는 1,000mAh와 같다. Ah는 전류와 전류가 흐르는 시간을 곱하여 계산하므로, Ah = I(전류) X T(전류가 흐르는 시간)으로 나타낼 수 있고, 다시 바꿔서 말하면 T(전류가 흐르는 시간) = Ah/I(전류)로 바꿀 수 있다. 예를들어 만약 4Ah의 용량을 가진 배터리를 사용하는 경우 1A의 전류를 1시간동안 사용할 수 있으며, 4A의 전류는 1시간 동안 흘릴 수 있는 것이다.

또한, 전지중에는 메모리효과를 가지고 있는 경우가 있는데, 이는 충전이 가능한 경우 방전(0%)되지 않은 상태에서 충전을 하면, 전기가 남아있어도 충전기가 방전(0%)상태로 기억하기 때문에 최초의 배터리 용량보다 적은 용량을 배터리 용량으로 기억하는 것으로, 메모리 효과가 있는 배터리는 완전 방전한 후 재충전 하는 것이 좋다.

2. 전지의 분류

1) 재료에 의한 분류

① 탄소아연 전지

주 재료로 아연과 탄소를 사용하는 전지로, 음극은 아연, 양극은 탄소로 이루어져 있으며, 전해액은 염화 암모늄 혹은 염화 아연을 사용한다. 탄소아연 전지는 저렴하지만 용량이 작은 특징을 가지고 있다.

② 망간 전지

주 재료로 아연과 망간을 사용하는 전지로, 음극은 아연, 양극은 망간으로 이루어져 있으며, 전해액은 염화 아연 혹은 염화 아연을 사용한다. 망간 전지는 탄소아연 전지와 마찬가지로 저렴하지만 용량이 작은 특징을 가지고 있다.

③ 알칼라인 전지

주 재료로 망간 전지와 마찬가지고 아연과 망간을 사용하며, 음극은 아연, 양극은 망간으로 이루어져 있으나, 전해액을 약산성에서 이온전도도가 높은 강알칼리성(수산화 칼륨 수용액)을 사용한다.

④ 납 축전지

차량용 배터리로 주로 사용되는 전지로, 2V의 납축전지 6개를 직렬연결하면 12V로 사용할 수 있으며, 완전 방전되는 경우 수명이 대폭 떨어지는 특징을 가지고 있다.

⑤ 니켈카드뮴 전지

주 재료로 니켈과 카드뮴을 사용하는 전지로, 저항이 작아 큰 전류를 필요로 하는 곳에 주로 사용된다. 니켈카드뮴 전지는 600mAh와 1,000mAh로 주로 구성된다.

⑥ 니켈수소 전지

주 재료로 니켈과 수소흡장금을 사용하는 전지로, 니켈 카드뮴 전지의 단점을 보완한 전지이다. 그 결과로, 니켈 카드뮴 전지보다 무게, 용량, 메모리 효과 등이 더욱 우수하며 1,000mAh와 1,600mAh로 주로 구성된다.

⑦ 리튬이온 전지

주 재료로 리튬산화 물질과 탄소를 사용하는 전지로, 음극은 탄소, 양극은 리튬산화 물질로 이루어져 있으며, 전해액은 휘발유보다 잘 타는 유기성 물질을 사용한다. 리튬이온 전지는 대부분의 휴대기기에 들어가는 전지로, 가장 우수한 성능을 보인다. 리튬이온 전지는 자기방전, 메모리 효과가 거의 없으며, 용량, 기전압, 온도특성이 아주 우수하다는 장점을 가지고 있지만 전해액이 유기성 물질이기 때문에 폭발할 수 있다는 위험성이 있다.

⑧ 리튬이온폴리머 전지

리튬이온폴리머 전지는 앞서 살펴본 리튬이온전지의 폭발 위험성을 줄이기 위해 전해질을 고체상태의 전해질인 폴리머로 변경한 것으로, 액체 전해질을 사용한 리튬이온 전지에 비해 이온전도율, 온도 특성, 수명이 떨어진다는 단점이 있으나, 안전하고 작으며 원하는 형태로 만들 수 있다는 장점이 있다. 특히 리튬이온폴리머 전지는 휘어지거나 얇은 형태로 만들어 핸드폰, 노트북 등의 휴대기기에 사용할 수 있기 때문에 차세대 전지로 주목을 받고 있다.

2) 특성에 의한 분류

화학전지는 특성에 따라 크게 1차전지, 2차전지, 연료전지로 구분할 수 있다. 또한, 각각 1차전지와 2차전지는 또 앞서 살펴본 다양한 재료를 가진 전지들로 나눌 수 있다.

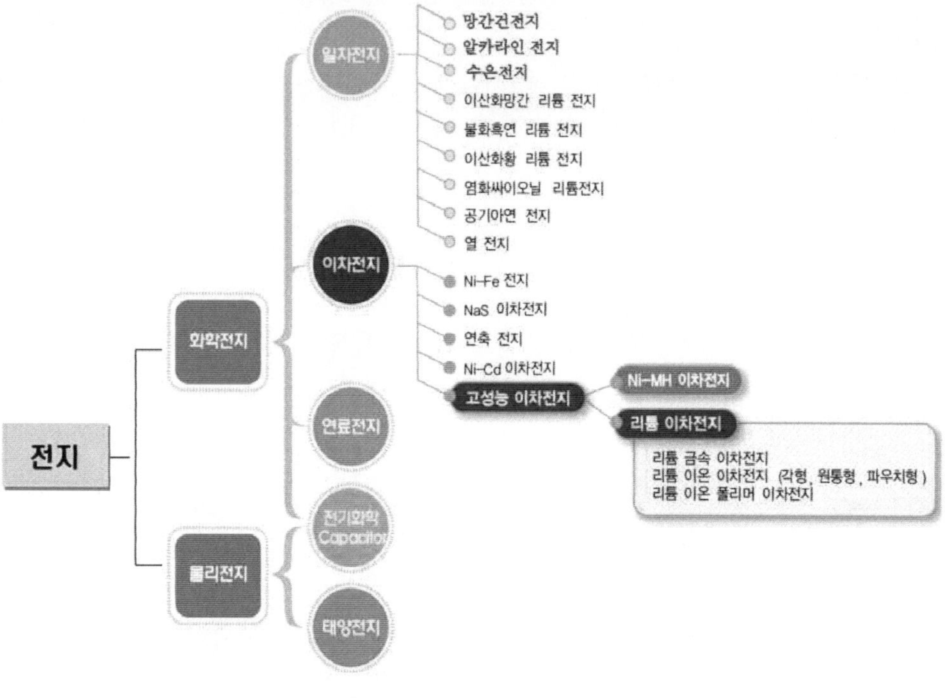

[그림 21] 전지의 분류

① 1차 전지

우선, 일차 전지는 위에서 언급한 것과 같이 방전기능만 작동하여 충전하여 사용할 수 없는 전지이다. 1차전지의 특징으로는 기전력이 크고 일정한 전압이 오랫동안 유지되며, 자기 방전이 적다. 즉, 가만히 둬도 용량이 줄지 않으며 가볍고 저렴하지만 배터리 용량이 작다. 그리고 내부저항이 작다.

일차전지는 다시 말하면, 반복 사용이 불가능한 전지를 의미하며 대표적인 예시로는 망간 건전지, 알카라인 전지, 수은전지, 리튬계 전지 등이 있다.

(1) 건전지 배터리(망간전지 혹은 망간 건전지)

이산화망간을 양극으로, 아연을 음극으로 사용하며, 전해질은 염화암모늄 또는 염화아연 등의 중성염 수용약으로 구성된 전지를 의미하며 소모 전류가 적으면서 오랜 시간동안 사용 가능한 탁상 시계, 리모콘 등은 망간 건전지가 적절하다.

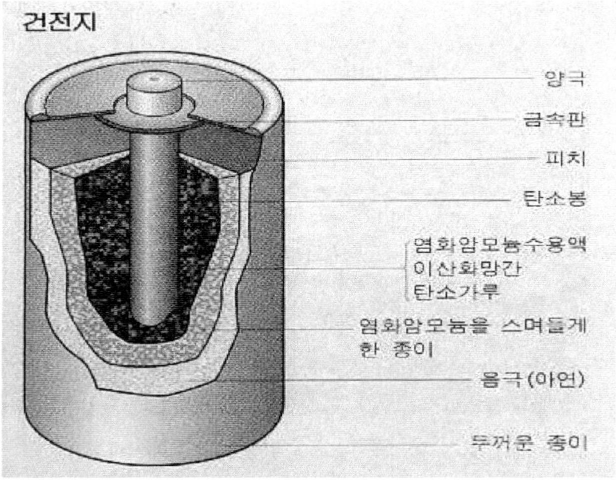

[18]

[그림 22] 건전지 배터리 구성요소

아연판에서는 산화반응이 일어나며 이산화망간에서는 환원반응이 일어나며, 해당 반응에 대한 식은 다음과 같다.

$$\begin{array}{ll} \text{산화전극:} & Zn(s) \longrightarrow Zn^{2+}(aq) + 2e^- \\ \text{환원전극:} & 2NH_4^+(aq) + 2MnO_2(s) + 2e^- \longrightarrow Mn_2O_3(s) + 2NH_3(aq) + H_2O(l) \\ \hline \text{전체:} & Zn(s) + 2NH_4^+(aq) + 2MnO_2(s) \longrightarrow Zn^{2+}(aq) + 2NH_3(aq) + H_2O(l) + Mn_2O_3(s) \end{array}$$

[그림 23] 건전지 배터리에서 일어나는 반응식

위의 그림에서 보면 "피치"라는 부분이 있는데, 이는 위의 반응식에서 완전히 제거되지 않는 가스를 저장할 공기실과 발생하는 물로 인해 전해질이 흘러내리지 않도록 타르, 원유과 같은 끈적끈적한 검은 물질로 막아놓은 것이다.

(2) 알카라인 전지

망간 건전지의 전해액을 KOH 수용액으로 교체하여 그 힘을 강화시킨 전지로써 소모 전류가 큰 카메라나 장난감, 카세트 등에 소모되는 전지이다. 망간전지에 비해서 순간 방전률이나 에너지 용량이 커서 건전지 시장의 80%가 알카라인 전지가 점유하고 있다.

---
18) 화학교재연구회 옮김, 레이먼드 창의 기본일반화학 제6판, 사이플러스(2010)

망간 건전지와 마찬가지로 아연판에서 산화반응이 일어나며, 이산화망간에서는 환원반응이 일어난다. 해당 반응에 대한 식은 다음과 같다.

$$(-)\text{극(아연판)} : Zn + 2OH^- \rightarrow Zn(OH)_2 + 2e^- \ (\text{산화})$$
$$(+)\text{극(C막대)} : 2MnO_2 + H_2O + 2e^- \rightarrow Mn_2O_3 + 2OH^- \ (\text{환원})$$
$$\text{전체 반응} : Zn + 2MnO_2 + H_2O \rightarrow Zn(OH)_2 + Mn_2O_3$$

[그림 24] 알카라인 전지에서 일어나는 반응식

앞서 살펴본 망간건전지와 알카라인 건전지는 전해액에서만 차이가 있으나 이로 인해 다양한 차이가 발생한다. 망간 건전지와 알카라인 건전지를 비교하면 다음과 같다.

	망간건전지	알카라인 건진지
공칭전압	1.5V	1.5V
전기 화학 시스템	아연-이산화망간	아연-이산화망간
양극활물질	이산화망간(MnO_2)	이산화망간(MnO_2)
전해액	염화아연($ZnCl_2$)수욕액 염화암모늄(NH_4Cl)수용액	수산화칼륨(KOH)수용액
음극활물질	아연(Zn)	아연(Zn)
전지용기	아연관	철제관
사용온도범위	-5℃~55℃	-18℃~55℃
충전	불가능	불가능
특성	가격이 저렴 연속방전 보다 간헐방전 조건에서 수명이 길다	중부하에 적하
용도	리모콘,인터폰,라디오,카세트,완구,강력라이트,벽시계	리모콘,액정TV,인터폰,헤드폰,스테레오라디오,카세트,CDP,MP3,완구,전자게임기,디지털카메라,강력라이트,전기면도기,도어락

[표 40] 건전지 배터리 비교

19)

19) 출처: 네이버

(3) 수은전지

수은전지는 음극은 아연-수은 아말감, 양극은 화수은(HgO)판으로 구성되어 있으며, 전해질은 HgO와 수산화칼륨(KOH) 혹은 NaOH의 혼합물을 사용하는 전지이다. 일반적으로 1.35V의 전압을 보이며, 수명이 5% 남을 때 까지도 안정적인 전압을 유지하는 모습을 보인다. 그러나 이러한 수은 전지는 Hg 생성하므로 환경오염 문제 발생하게 한다는 문제점도 지니고 있다.

음극과 양극에서 일어나는 반응식은 다음과 같다.

$$
\begin{array}{rl}
\text{산화전극:} & Zn(Hg) + 2OH^-(aq) \longrightarrow ZnO(s) + H_2O(l) + 2e^- \\
\text{환원전극:} & HgO(s) + H_2O(l) + 2e^- \longrightarrow Hg(l) + 2OH^-(aq) \\
\hline
\text{전체:} & Zn(Hg) + HgO(s) \longrightarrow ZnO(s) + Hg(l)
\end{array}
$$

[그림 25] 수은전지에서 일어나는 반응식

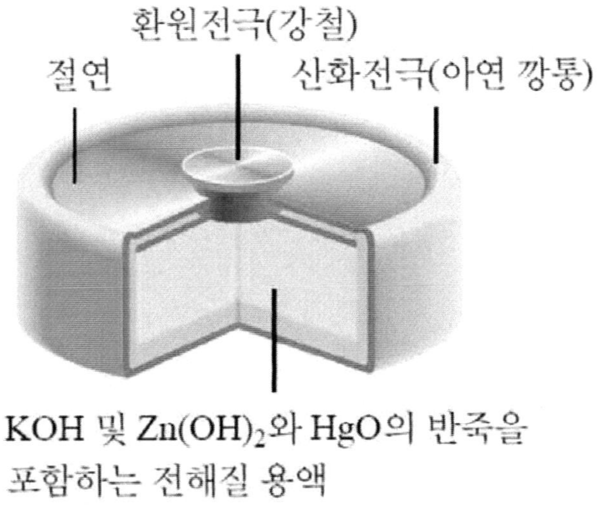

[그림 26] 수은 전지 구성도

② 2차 전지

2차 전지는 충전과 방전을 500회 이상 연속적으로 반복 사용이 가능한 반영구적 화학전지를 일컫는다. 즉, 2차 전지는 전기에너지를 화학에너지로 변환하여 저장해 두는 장치라고도 할 수 있는 것이다. 이차전지에는 납축전지, 니켈-카드뮴전지, 니켈 수소전지, 리튬계 이차전지로 분류할 수 있으며, 리튬 이차전지는 다시 리튬 금속이차전지, 리튬이온 이차전지, 리튬이온 폴리머 이차전지로 구분되어진다.

2차 전지는 한 개의 전극에서 충전과 방전이 모두 일어남에 따라서 산화전극(Anode, -극)과 환원전극(Cathode, +극)의 구별은 방전반응을 기준으로 한다. 2차전지 산업에서 방전반응 기준으로 산화전극(Anode, -극)은 음극으로 번역되며, 환원전극(cathode, +극)은 양극으로 번역된다.

(1) 납축 전지

납축 전지는 밀도가 1.25 g/mL 정도인 황산 용액에 음극에 Pb판을, 양극에 산화납(PbO2)을 입힌 금속판을 넣어 만든 전지로써, 1개당 기전력 약 2.1V. 여러 개를 직렬로 연경하여 12V, 24V로 만들어 사용된다. 또한 납축전지는 이차전지로서 충전과 방전을 500회 이상 연속적으로 반복 사용이 가능한 반영구적 화학 전지이다.

납축 전지는 방전된 경우 양극과 음극에서 모두 불용성 물질인 PbSO4이 생성되며, 황산 용액의 농도가 묽어 진다는 특징을 보인다. 납축전지의 방전여부는 황산의 밀도를 측정하여 확인 가능하며 겨울철에 온도가 내려가면 전해질의 점도가 상승하고, 이온의 이동이 느려져서 정상작동 되지 않는다. 이에 해당하는 대표적인 예가 겨울철 자동차 시동이 잘 걸리지 않는 현상이 발생하는 원인이다. 이에 대한 반응식은 다음과 같다.

산화전극: $$Pb(s) + SO_4^{2-}(aq) \longrightarrow PbSO_4(s) + 2e^-$$

환원전극: $$PbO_2(s) + 4H^+(aq) + SO_4^{2-}(aq) + 2e^- \longrightarrow PbSO_4(s) + 2H_2O(l)$$

전체: $$Pb(s) + PbO_2(s) + 4H^+(aq) + 2SO_4^{2-}(aq) \longrightarrow 2PbSO_4(s) + 2H_2O(l)$$

[그림 27] 납축 전지에서 일어나는 반응식(방전)

충천은 축전지의 전압이 1.8V 이하로 떨어지기 전에 외부에서 직류전원을 인가하면 역반응이 진행되어 기전력 회복, 황산의 농도가 진해지면서 발생한다.

$$PbSO_4(s) + 2e^- \longrightarrow Pb(s) + SO_4^{2-}(aq)$$

$$PbSO_4(s) + 2H_2O(l) \longrightarrow PbO_2(s) + 4H^+(aq) + SO_4^{2-}(aq) + 2e^-$$

전체: $$2PbSO_4(s) + 2H_2O(l) \longrightarrow Pb(s) + PbO_2(s) + 4H^+(aq) + 2SO_4^{2-}(aq)$$

[그림 28] 납축 전지에서 일어나는 반응식(충전)

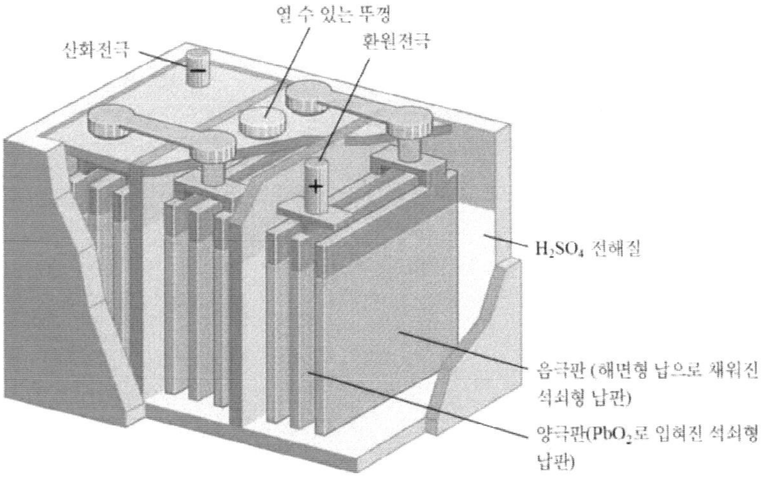

[20]

[그림 29] 납축전지의 내부 단면

(2) 니켈카드뮴전지

니켈카드뮴전지의 양극은 니켈 수산화물을, 음극은 카드뮴을 사용하고 전해액은 수산화칼륨 수용전액을 사용한다. 니켈카드뮴전지는 최근까지 가장 널리 사용되던 충전식 전지로써 전동 공구, 완구, 저가의 전자제품 등에서 이용되고 있다. 니켈카드뮴 전지의 경우 음극에서 사용하는 카드뮴이 공해물질이고, 완전히 방전한 후 충전 하여야 하는 단점이 있어 시장에서의 점유율을 점차 축소되고 있다.

(3) 니켈수소 전지

니켈수소전지의 양극은 니켈 수산화물이며, 음극은 수소저장 합금을 사용하고 있다. 전해질은 알카리 수용액을 사용한다. 니켈수소 전지의 전압은 1.2V이고, 전기용량은 니켈카드뮴전지보다 약 1.7배 크다. 또한 500회 이상의 충방전이 가능하고, 작은 내부저항과 함께 전압변동이 적어 대전류 방전을 특징으로 한다. 대전류 방전특징으로 휴대형 전자제품에 주로 사용되어 오고 있으며 그 밖에도 디지털 카메라, 노트북 PC, 캠코더 등에서 사용된다. 최근에는 리튬이온(Li-ion) 전지가 안정화되면서 니켈수소전지는 특수제품을 제외한 곳에서는 사용되지 않고 있는 추세이다.

(4) 리튬이온 전지

리튬이온 전지는 작고 가벼우면서도 에너지 밀도, 출력특성, 장시간 사용 등 성능 면에서 가장 우수한 특성을 가지고 있으며 현재 가장 많이 사용되는 2차 전지의 형태이다. 리튬이온 전지는 양극으로 리튬코발트산화물 또는 리튬망간산화물을 사용하며 음극에는 탄소(카본)를 사용하며, 전해질은 액체전해질을 사용한다.

---

20) 화학교재연구회 옮김, 레이먼드 창의 기본일반화학 제6판, 사이플러스(2010).

리튬이온 전지의 양 극에서 일어나는 반응식은 다음과 같다.

$$\begin{aligned} \text{산화전극(산화 반응):} &\quad \mathrm{Li}(s) \longrightarrow \mathrm{Li}^+ + e^- \\ \text{환원전극(환원 반응):} &\quad \mathrm{Li}^+ + \mathrm{CoO_2} + e^- \longrightarrow \mathrm{LiCoO_2}(s) \\ \hline \text{전체:} &\quad \mathrm{Li}(s) + \mathrm{CoO_2} \longrightarrow \mathrm{LiCoO_2}(s) \end{aligned}$$

[그림 30] 리튬이온 전지에서 일어나는 반응식

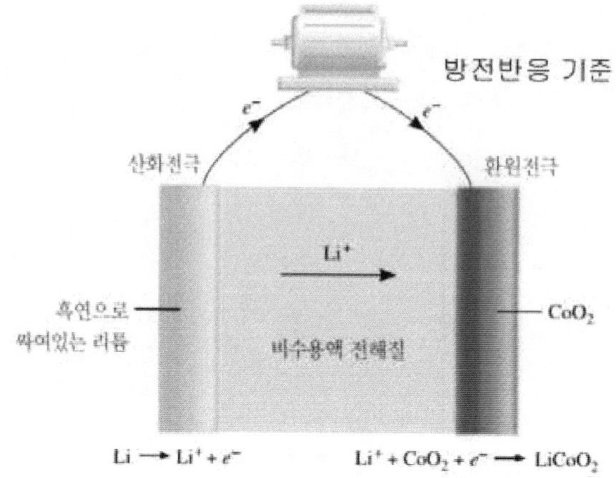

[그림 31] 리튬이온 전지

리튬이온 전지는 대부분의 휴대전화, 캠코더, 디지털 카메라, 노트북 PC, MD 등에 사용되고 있으며, 초박형이나 가공성을 요구하지 않는 분야에서 많이 사용되는데, 평균 3.7V의 높은 작동전압으로 각종 휴대전화의 소형화시켰으며, 통상 500회 이상의 충전과 방전이 반복 가능하다. 리튬이온 전지는 폭발 위험이 있기 때문에 보호회로가 장착된 PACK 형태로 판매되고 있는데, 위험성만 제거되면 가볍고 높은 전압을 갖고 있어 향후 가장 많이 사용될 것으로 전망되어지고 있으며 현재도 대부분의 2차 전지의 이용률을 차지하고 있다.

리튬이온전지는 높은 에너지 밀도, 높은 전압, 친환경성, 비메모리 효과로 인한 높은 수명을 보유해 납축전지 및 니켈카드뮴전지를 대체하는 대표적인 2차전지로 성장했다.

특징	주요 내용
높은 에너지 밀도	• 기존 납축전지 대비 4~5배의 에너지 밀도
높은 전압	• 기존 전지 대비 3배 고전압
친환경성	• 환경규제물질(Cd, Hg, Pb) 미포함 • 재활용 가능
비메모리 효과 및 높은 수명	• 충·방전 반복으로 인한 방전용량 감소 없음

[표 41] 리튬이온전지의 장점

리튬(Li)의 원자 질량은 금속 중 가장 가벼운 알칼리 금속으로, 배터리의 무게를 줄여 소형화가 가능하다. 에너지 밀도는 같은 무게의 배터리 내 얼마만큼의 에너지를 저장할 수 있는지를 결정하는 요인으로 배터리의 크기 및 용량을 좌우하는 요소이다. 리튬은 높은 에너지 밀도로 인해 용적이 큰 장점이 있어 높은 충·방전 효율, 고에너지 밀도 및 출력 밀도를 요구하는 산업에 이상적인 전극 재료다. 리튬이온전지는 기존 배터리 소재인 카드뮴(Cd), 수은(Hg)과 납(Pb) 등의 환경규제물질을 미포함하며, 폐전지로부터 재활용이 가능해 친환경적이다. 또한, 메모리 효과가 없어 충·방전을 반복해도 용량이 쉽게 줄어들지 않는 장점을 가진다.

리튬이온전지는 크기에 따라, 소형과 중대형으로 분류된다. 소형 배터리는 주로 스마트폰, 태블릿, 노트북 등의 전자기기에 사용되었던 주류 배터리였으나, 최근에는 전기차 및 ESS에 적용 가능한 중대형 배터리 시장이 급성장 중이다. 또한, 초소형 및 대용량 배터리 적용이 가능한 신규 산업 등 다양한 산업으로 확장할 수 있어, 제품 안전성 향상, 가격 경쟁력 확보, 팩 설계 기술 등의 소재 관련 원천기술 확보가 필요하다.[21)]

특징	주요 내용
기술집약적 산업	• 소재 가격 및 기능 관련 원천기술 확보에 따른 수익성 차이가 큼 • 기술 차별화 전략 및 연구 투자가 활발
성장기의 전방 산업	• 소형 배터리 시장에서 전기차, 중대형 시장으로 급속한 성장 중 • 드론, 로봇, 스마트홈 등 미래산업 핵심 기술로 적용 가능
높은 시장진입장벽	• 소재기술을 보유한 일본 업체들, 흑연, 코발트 등 원재료의 가격 경쟁력이 있는 중국 업체로 인해 경쟁 강도가 높음
첨단 융·복합 산업	• 양극 및 음극 소재, 분리막, 전해질 등의 고성능 소재 개발을 위해 화학, 재료, 전기 공학 등 다방면 기술이해도가 필요
수요처별 테마 산업	• 휴대용 전자기기 (소형), 전기차 (중형 및 고출력 제품)

[표 42] 리튬이온배터리 산업의 특징

(5) 리튬이온 폴리머 전지

리튬이온 플리머전지의 전극물질은 리튬이온 전지와 같이 음극으로 탄소(카본)를 사용하고, 양극으로 리튬코발트산화물 또는 리튬망간산화물을 사용하지만, 전해질은 고분자 전해질을 사용 한다. 이는 전지의 형상을 원형과 각형을 비롯한 다양한 모양으로 유연하게 만들 수 있는 장점을 지니며 초박형 ,경량화가 가능할 뿐만 아니라 전해질로 폴리머를 사용함으로써 안전성이 뛰어나고 리튬이온전지에 필수적인 보호회로가 불필요하므로 저가격화를 실현할 수 있는 등 많은 장점을 지니고 있다. 하지만 리튬이온 전지에 비해 체적에너지밀도가 떨어지고, 제조공정이 비교적 복잡하여 가격이 높다는 한계점을 보인다.

21) 리튬이온배터리, 한국IR협의회, 2020.08.06

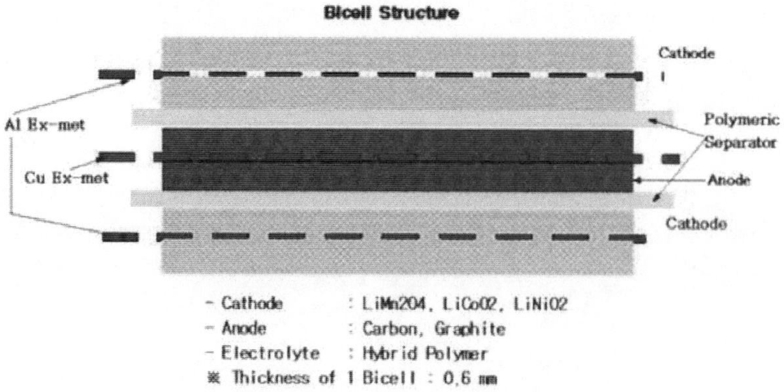

[그림 32] 리튬이온 폴리머 전지 구조

특성	Ni-Cd	Ni-MH	LIB	LIPB	LPB
양극	NiOOH	NiOOH	$LiMO_2$	$LiMO_2$	유기메캡탄, 칼코겐 화합물, 전도성 고분자 등
음극	Cd	MH	Carbon	Carbon	Li-metal
전해질	KOH/H_2O	KOH/H_2O	LiX/유기용매	LiX/고분자 전해질	LiX/고분자 전해질
작동전압(V)	1.2	1.2	3.6	3.6	2.0~3.6
수명(회)	1000	1000	1200	1000	>200
자기방전율 (%/월)		20~25	<10	<<10	<<10
환경오염 물질함유	Yes	Yes	No	No	No
중량 당 에너지밀도 (Wh/Kg)		65	120	100	>200
체적당 에너지밀도 (Wh/l)	160	240	280	220	-
주요생산업체	Sanyo, Toshiba	Matsushita, Sanyo, Toshiba	Sony, Sanyo, Matushita	Valence, Ultralife	

[표 43] 주요 이차 전지의 특성 및 구성재료

③ 연료전지[22)]

연료전지는 수소를 연료로 공급하여 대기 중 산소와 전기화학반응에 의해 직접 변환 발전하는 장치를 의미한다. 별도의 연소과정이 없기 때문에 발전효율이 상대적으로 높고 이산화탄소 등 온실가스 배출이 없어 친환경적이며 전기를 생산함과 동시에 열도 생산하기 때문에 난방과 전기를 동시에 생산할 수 있는 장점이 있다.

또한, 주요 수요처인 도심지에 소규모로 설치가 가능한 분산형 전원이라는 점도 큰 장점으로 꼽을 수 있다. 소형 연료전지는 주로 자동차나 이동용 전원으로 이용되고 있으며, 대형 연료전지는 건물의 분산형 전지나 발전용 전지로 사용할 수 있다.

기본적으로 연료전지는 연료극, 전해질층, 공기극이 접합되어 있는 셀(Cell)과 다수의 셀을 적층한 스택(Stack)으로 이루어진 전기 생산기기와 전기적, 기계적 주변기기(Balance of Plant, BOP)로 이루어져 있다. BOP는 시스템제어, 전력변환기 등 전기적 주변기기(Electrical BOP)와 연료 및 공기 공급, 열회수 및 열교환기, 수처리 시스템 등 내구성 향상과 운전 최적화를 위한 기계적 주변기기(Mechanical BOP)로 분류된다.

연료전지에서 생산되는 전류는 반응 면적에 비례하며 전압은 셀 적층 개수에 따라 자유롭게 조절이 가능하기에 다양한 분야에 사용될 수 있으며, 구체적인 용도에 따라 휴대형(Portable), 고정형(Stationary), 수송형(Transport)으로 구분할 수가 있다.

구분	휴대형(Portable)	고정형(Stationary)	수송형(Transport)
정의	이동이 용이한 연료전지로 보조 전력 공급 장치 (Auxiliary Power Units, APU) 포함	전기와 열을 공급하는 연료 전지로써 이동은 불가능	추진력과 주행거리 개선에 필요한 기능을 제공
출력범위	5W to 20kW	0.5kW to 400kW	1kW to 100kW
적용기술	PEMFC, DMFC	MFCF, PAFC, PEMFC, SOFC	PEMFC, DMFC
적용사례	• 이동 수단 외(레저용 차량 및 보트 등)의 보조 전원(Auxiliary Power Unit, APU) • 휴대용 전자기기 (휴대폰, 노트북 등) • 군사용	• 대형/분산발전용 • 가정/건물용 • 백업전원 (Uninterruptible power supplies, UPS)	• 개인 상용차 • 대중교통 (버스, 트램 등) • 물류운반 (지게차, 트럭 등) • 선박용

[표 44] 연료전지 응용 분야별 특징

22) 연료전지 시장의 현재와 미래, 삼정 KPMG, 2019.08

연료전지의 발전원리는 다음과 같다.

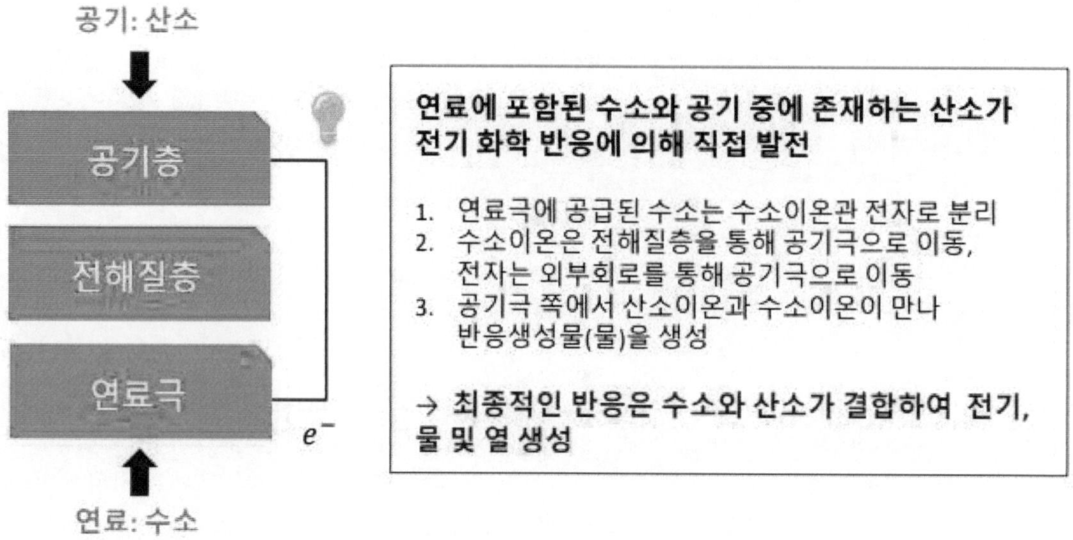

[그림 33] 연료전지 발전원리(단위전지)

연료전지에 사용되는 전해질의 종류에 따라 5가지(알칼리 연료전지(AFC), 인산형 연료전지(PAFC), 용융탄산염 연료전지(MCFC), 고체 산화물 연료전지(SOFC), 고분자 전해질 연료전지(PEMFC), 직접 메탄올 연료전지(DMFC))로 구분되는 것이 가장 일반적이다.

(1) 고분자전해질 연료전지(Polymer Electrolyte Membrane Fuel Cell)

PEMFC(Polymer Electrolyte Membrane Fuel Cell)에서 고분자전해질막은 Dupont사에 의해 제작된 퍼플루오로 술폰산(PFSA, Perfluorocarbon Sulfonic Acid) 수지가 주로 사용되고 있다. 시장점유율은 약 70%이다. 막은 산화 반응으로 발생하는 화학적 열화로 인하여 내구성이 감소하게 된다. 하지만 퍼플루오로 술폰산 수지는 불소원자의 주변을 탄소원자가 감싸고 있어 화학적으로 안정된 구조를 갖는다. 이 막은 술포닉플루오라이드 비닐에테르 단량체와 테트라플루오로에틸렌과의 공중합[23]에 의해 만들어진 수지를 필름형태로 압출 가공한 후 가수분해[24]시켜 제조한다.

PEMFC의 고분자 전해질막은 액체 상태의 물이 존재하는 환경에서 높은 이온 전도성을 유지할 수 있다. 하지만 건조현상이 발생하게 되는 고온에서는 이온 전도성를 유지할 수 없어 연료 전지의 성능이 감소한다. 이로 인해 PEMFC는 상온에서 80℃까지의 온도에서 동작이 가능하다는 점과, 높은 전류밀도를 갖고, 소형화 및 경량화가 가능하여 차량용 등의 이동 전원으로 적합하다고 평가받는다.

23) 2개 이상의 단위 분자를 포개어 합친 것
24) 원래 하나였던 큰 분자가 물과 반응하여 몇 개의 이온이나 분자로 분해되는 현상

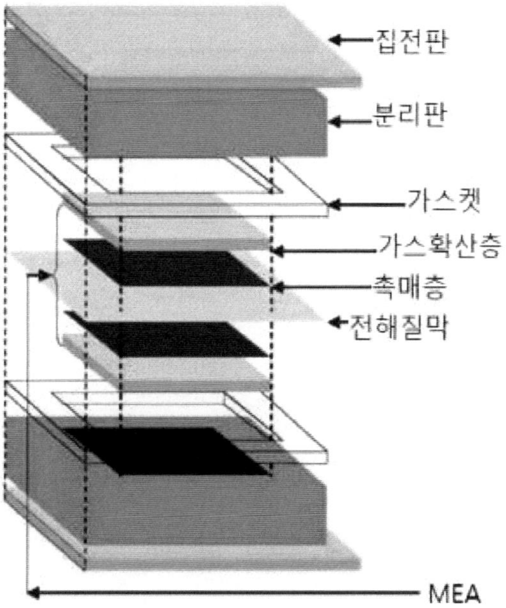

[그림 34] 연료전지 주요 부품과 역할

PEMFC의 주요 부품과 역할은 다음과 같다.[25]

① MEA(Membrane-Electrode Assembly)

음극과 양극을 전해질막에 부착한 것으로 산소와 수소의 전기화학 반응이 일어나는 연료전지의 핵심 부품이다. 전해질막, 촉매층, 가스확산층으로 이루어져있다. 접착 과정에서 기체 확산층의 구조를 유지하고 전극과 전해질의 접촉을 좋게 하는 것이 중요과제로 작용한다.

② 전해질막(Electrolytic membrane)

이온을 전달하고 반응기체(산소, 수소)를 분리하여 접촉을 막는 역할을 한다. 높은 이온 전도성이 필요하고 이온 외의 전자 등의 통과는 막아야 하며 화학적으로 안정성이 우수한 소재가 필요하다는 과제가 있다.

③ 촉매층(Catalyst layer)

수소의 산화반응, 산소의 환원반응을 촉진하는 역할을 한다. 음극과 양극에서 수소와 산소의 반응속도가 다른 문제를 해결하기 위한 방안으로 촉매량을 조절한다. 또한, 일산화탄소 등에 의해 손상이 가지 않는 소재 개발이 필요하다. 가격이 비싼 백금 촉매를 사용할 경우 백금 사용량은 줄이면서 효과는 늘리기 위해 나노사이즈의 백금 입자를 뿌리는 기술로 비용이 절감된다.

④ 가스확산층(Gas diffusion layer)

반응기체를 촉매층에 전달하고 물을 제거하는 역할을 한다. 높은 기체 확산성, 배수성, 강성을 요구하며 두께를 얇게하는 노력 등으로 가격을 낮추는 중이다.

---

25) 연료전지 개요와 현황, 한국수출입은행, 2021.08.06

⑤ 가스켓(Gasket)

MEA 주변을 감싸 가스가 새지 않도록 막는 역할을 하며 주로 고무 폴리머로 만들어진다. 내열성과 탄성이 좋고 압축변형에 저항성이 높은 소재가 필요하다는 과제가 있다.

⑥ 분리판(Separator/Bipolar plate)

연료전지스택에서 단위셀을 분리하는 역할을 한다. 전기전도체 역할을 하기도 하고 생성된 물을 외부로 배출하는 역할도 한다. 분리판은 연료전지 무게의 약 60%를 차지한다. 높은 전기전도도, 열전도율, 기계적 강도를 가져야 하고 부식에 강하고 가벼운 소재가 필요하다는 과제가 있다.

⑦ 집전판(Current Collector Plate)

연료전지에서 만들어낸 전류를 흘려주는 역할을 한다. 형상에 따라 저항값이 달라지기 때문에 최적화 디자인 필요하다는 과제가 있다.

(2) 알칼리형 연료전지(AFC, Alkaline Fuel Cell)

AFC는 PEMFC와 다르게 액체 형태의 전해질이 사용된다. 1960년대 우주선에 전력과 물을 공급하기 위해 우주용으로 개발된 연료전지로, 현재 주로 사용되는 것은 이온 전도성이 우수한 수산화칼륨이다. 알칼리 전해질은 산성전해질에 비해 큰 기전력과 전류밀도를 얻을 수 있다. 이렇게 비교적 단순하게 고출력을 얻을 수 있다는 장점 때문에 순산소와 순수소를 이용한 우주용, 잠수함 등의 특수용에 많이 적용되고 있다. 또한, 알칼리 분위기에서는 저가의 전이금속들이 귀금속인 백금과 비슷한 활성을 보여, 원가에 큰 비중을 차지하는 전극 촉매인 백금의 사용량을 절감하는 효과를 낳을 수 있다. 하지만 전해질이 공기 중의 이산화탄소와 반응하게 되면 결정형 탄산염을 형성하고 그것이 +극에 석출되어 연료전지의 가동성을 방해한다는 단점을 갖고 있다.

(3) 인산형 연료전지(PAFC, Phosphoric Acid Fuel Cell)

인산은 저렴하고 풍부하게 존재하며, 이산화탄소에 의한 성능 저하가 없다. 따라서 이산화탄소를 포함한 연료나 공기를 산화제로 이용하는 지상에서 사용하기 적합하다는 특징이 있다. 하지만 AFC의 전해액과 달리 다른 물질을 부식시키는 성질이 강하다는 단점이 있고, 저온에서는 점도가 높고 이온 전도성이 낮기 때문에 인산의 녹는점인 42.35 ℃를 넘겨야 하기에 고온(170℃~230℃)에서 이용해야 효율이 좋다는 제약사항이 있다.

(4) 고체산화물형 연료전지(SOFC, Solid Oxide Fuel Cell)

다음과 같은 조건을 충족하는 세라믹(고체산화물)이 SOFC의 전해질로 사용된다. 1)산소를 함유하고, 산소이온전도를 발생할 것, 2)실용적인 온도범위 내에서 양호한 이온전도도가 얻어질 것, 3)전자전도성이 없을 것이 그 조건이다. 전해질이 고체이기에 전해질의 분산이 없고 전압에 대한 설계와 운전제어가 비교적 용이하다는 것이 장점이지만, 세라믹 재료가 부서지기 쉬운 재질이기에 이를 고려해 기기가 설계되어야 한다.

(5) 용융탄산염형 연료전지(MCFC, Molten Carbonate Fuel Cell)

MCFC는 탄산리튬과 탄산칼륨의 혼합인 액체 전해질을 이용한다. 이들 탄산염의 녹는점은 각각 단독으로 700~900℃로 높지만, 혼합시 400~500℃로 내려간다. 전지반응에는 600~700℃가 필요한데, 고온에서 작동하기 위해서 개선해야 할 필요가 있다. 가동정지나 출력억제 등 운전면에서도 유연성이 저하된다. 하지만 탄화수소계 연료에서 개질반응에 의해 연료를 공급할 경우에는 변성반응도 불필요하며 개질반응 뿐 아니라 반응열로 전지배열을 그대로 이용할 수 있어 효율적이다.

분류	고체고분자형(PEFC)	알칼리형(AFC)	인산형(PAFC)	고체산화물형(SOFC)	용융탄산염(MCFC)
전해질	고분자이온교환막 $-CF_2$, $-SO_2H$ (고체)	수산화칼륨수용액 KOH (액체)	인산 H_2PO_4 (액체)	안정화 지르코니아 Zr_2O (고체)	탄산염 Li_2CO_3, K_2CO_3 (액체)
이동이온	H^+ (양이온이동형)	OH^- (음이온이동형)	H^+ (양이온이동형)	O^{2-} (음이온이동형)	CO_3^{2-} (음이온이동형)
작동온도	약 80℃ (촉매필요)	상온~200℃ (촉매필요)	약 200℃ (촉매필요)	약 1000℃ (촉매불필요)	약 650℃ (촉매 불필요)
반응가스	H_2 (CO 10ppm 이하)	순H_2만	H_2 (CO 1% 이하)	H_2, CO	H_2, CO
배열이동	급탕만	-	증기에 의한 흡수식 냉동기 이용가능	복합 사이클화 가능	복합 사이클화 가능
특징	- 가동 비교적 빠름 - 고출력밀도 - 유지비용이 용이 - CO피독 받기 쉬움 - 물관리를 요함	- 전해질이 CO_2로 열화되지 않기 때문에 지상에서는 거의 이용되지 않음 - 고효율로 저비용 - 부식성이 약하고 재료 선택 폭이 넓음	- 개발이 가장 진전되어 실적이 많다 - 전해질의 소실이 있음	- 고출력밀도 - 내부개질이 가능 - 유리보수 용이 - 기동정지에 장시간을 요함 - 장기성능과 승강온도 사이클에 대한 불안이 있음	- 내부개질이 가능 - CO_2 농축 응용가능 - 전해질의 소실 있음 - CO_2 리사이클 필요 - 가동정지에 장시간이 필요 - 니켈 단락(短絡의 우려가 있음
수요처	- 대형발전용 - 선박용	- 가정용 열병합발전 - 자동차 동력원	- 우주발사체 전원용	- 미래 석탄가스화발전 및 복합발전전기사업용 등의 대규모 발전 - 중소사업소 설비 - 이동체용전원	- 일반적인 건축자재 - 상업 및 산업 열병합발전용

자료: 수소연료전지핸드북, 현대차증권

[그림 35] 전해질에 따른 연료전지의 분류와 특징

일차전지, 이차전지 등과 같은 기존의 전지는 에너지 저장 장치로서, 저장한 화학물질을 소모하면서 전기를 공급하는 원리지만, 연료전지는 화학물질의 저장이 아닌 수소와 산소를 외부에서 공급받아 전기를 발생시키는 발전 장치이다.

현재 연료전지는 화석연료를 직접 개질하여 사용하거나 개질한 수소를 이용하는 형태이지만, 향후에는 태양광, 풍력 등과 같은 신재생에너지와의 하이브리드(Hybrid) 또는 Power-to-Gas 컨셉으로 물 분해를 통하여 생산되는 수소를 이용하는 방식으로 개발될 전망이다.

3. 2차 전지 핵심부품[26)]

1) 양극재

리튬이차전지는 크게 충전 및 방전 전압이 높은 양극(Cathode), 충전 및 방전 전압이 낮은 음극(Anode), 리튬이온의 이동 전달 매개체인 전해질(Electrolyte) 그리고 전기적 단락 방지를 위한 분리막(Separator), 4가지 구성 요소로 구성된다.

양극은 리튬이 들어가는 공간으로, 리튬은 원소 상태에서 반응이 불안정하기 때문에 산소와 결합한 리튬 산화물의 형태로 양극에 사용되고, 리튬 산화물과 전극 반응에 관여하는 것이 양극활물질이다.

양극재는 집전체인 알루미늄박에 활물질, 도전재, 바인더를 섞은 합제를 코팅한 후, 건조, 압착 공정을 거쳐 제작된다. 도전재는 리튬산화물의 전도성을 높이기 위해 첨가되며, 바인더는 활물질과 도전재가 알루미늄박에 정착 하도록 도와주는 접착제 역할을 한다. 양극활물질은 리튬이차전지의 용량과 전압을 결정하는 역할을 수행하는데, 리튬을 많이 포함하면 용량이 커지고, 음극과 양극의 전위차가 크면 전압이 커진다.

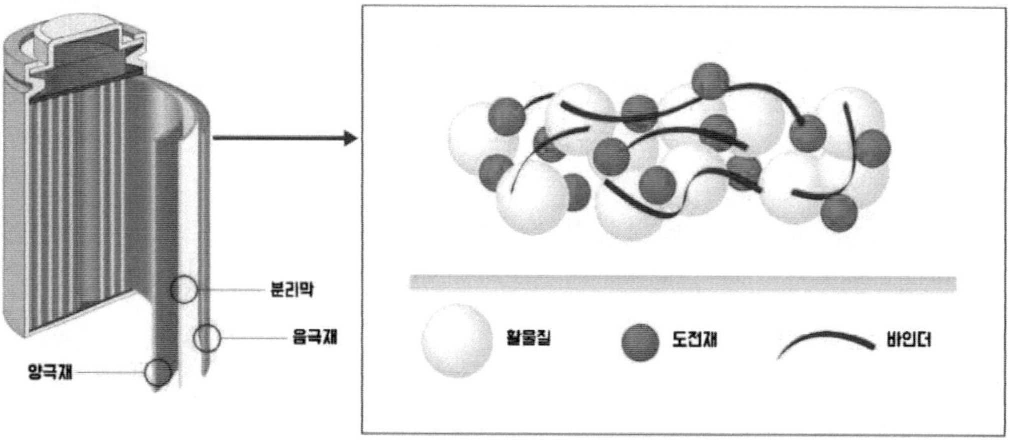

[그림 36] 리튬 이차전지 구성

리튬이차전지의 양극은 알루미늄 기재 표면에 사용 용도에 맞는 활물질, 전도성을 높이기 위한 도전재(Conductive Additive), 활물질과 도전체가 잘 정착할 수 있는 용도의 바인더가 배합된 합체를 입힌 구조로 제조되며, 양극활물질은 금속염의 구성 성분에 따라 LCO(리튬과 코발트 산화물), NCM(니켈, 코발트, 망간으로 이루어진 소재), NCA(니켈, 코발트, 알루미늄으로 이루어진 소재), LMO(리튬망간산화물), LFP(리튬인산철) 등으로 구분한다.

양극재 분야 산업은 양극재 원료 및 전구체, 도전재, 바인더, 집전체 등과 같은 후방산업과 및 전방산업인 리튬이온 이차전지 산업의 영향을 크게 받는 산업이다. 특히 양극 소재는 코발트 등 핵심 원료의 부족으로 인한 높은 가격으로 전지의 가격을 좌우하며 성능에 영향을 끼치는 소재다.

26) 중소기업 전략기술로드맵 2021-2023 이차전지, 중소기업벤처부

① 용도별 분류

양극재는 전지의 출력을 결정하는 소재로서, 배터리로서 적합한 성능을 내는 양극활물질은 크게 NCM(Nickel Cobalt Manganese), NCA(Nickel Cobalt Aluminum), LCO(Lithium Cobalt Aluminium), LMO(Lithium Manganese Oxide), LFP(Lithium Iron Phosphate)로 분류된다. 니켈(Ni)은 고용량 특성, 망간(Mn)과 코발트(Co)는 안전성, 알루미늄(Al)은 출력 특성 향상을 위하여 사용된다.

양극소재	세부 내용
NCM	• 현재 보편적으로 가장 많이 사용되는 소재임 • 전기자전거, 전기차 등에 사용됨
NCA	• NCM, LMO 등 타 소재에 비해 출력과 에너지 밀도가 높음 • 고출력을 요구하는 전동공구용, 의료장비용도로 사용됨 • Tesla 전기차에 적용중
LCO	• 높은 에너지밀도 및 긴 수명을 가진 것이 특징임 • 리튬 이차전지 상업화 초기에 가장 널리 사용되었으며 주로 소형 전자기기에 사용됨 • 스마트폰, 노트북, 전동공구 등에 사용됨
LMO	• 망간을 사용하여 가격이 저렴한 편임 • 3차원 터널구조로 구조적 안전성이 우수한 소재이나, 고온특성이 떨어지는 단점이 존재 • 전동공구, 의료장비 등에 사용됨
LFP	• 코발트 대신 철을 사용하므로 저렴하고 안전성이 높음 • 순도 및 전기전도도 등 성능측면에서 개선이 필요함 • 전기차 등에 사용됨

[표 45] 주요 양극재별 특성/용도

양극재를 공급망 관점에서 분류를 하면, 양극재를 생산하기 위한 핵심 원료 물질 및 전구체, 이를 이용하여 합성된 양극활물질, 양극활물질을 이용하여 전극을 제조하기 위한 부자재 및 제조된 전극으로 분류할 수 있다.

양극소재	세부 내용
원료물질 및 전구체	• LiOH, Li_2CO_3, Co_3O_4, NCM 전구체, MnO_2, Mn_3O_4 등
양극 활물질	• 층상계, 스피넬계, 올리빈계 양극재
부자재	• 도전재, 바인더, 알루미늄 집전체 등
전극	• 층상계, 스피넬계, 올리빈계 전극

[표 46] 양극 공급망 관점의 범위

리튬이온전지 양극활물질은 LCO(리튬코발트산화물), NCM(니켈코발트망간), NCA(니켈코발트알루미늄), LMO(니켈망간산화물), LFP(리튬인산철산화물)로 나눌 수 있다. 소형 IT용도는 충전 및 활용이 유리한 LCO가 사용되고, 중대형 전지인 경우 순간 출력과 수명이 우수한 NCA와 NCM이 주로 사용된다.

구분	LCO	NCM	NCA	LMO	LFP
분자식	$LiCoO_2$ (리튬/코발트)	$Li(Ni,Co,Mn)O_2$ (리튬/니켈/코발트/망간)	$Li(Ni,Co,Al)O_2$ (리튬/니켈/코발트/알루미늄)	$LiMn_2O_4$ (리튬/망간)	$LiFePO_4$ (리튬/철/인)
구조	 (층상구조)	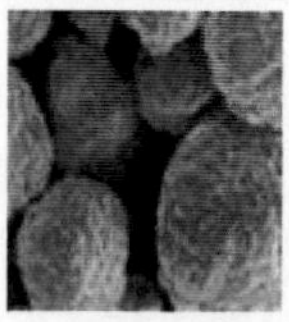 (층상구조)	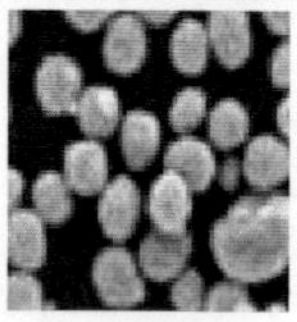 (층상구조)	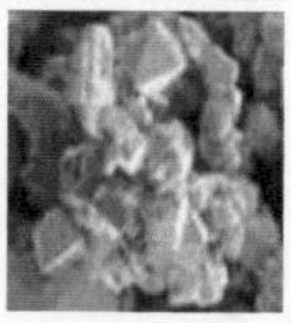 (스피넬구조)	 (올리빈구조)
전지용량 (mAh/g)	145	120~240	160~240	100	150
작동전압 (V)	3.7	3.6 ~	3.6 ~	4.0	3.2
안전성	높음	다소 높음	낮음	높음	매우 높음
수명	높음	중간	높음	낮음	높음
난이도	쉬움	다소 어려움	어려움	다소 어려움	어려움
용도	소형	소형, 중대형	중형	중대형	중대형

[표 47] 양극활물질의 종류 및 특성

① LCO

높은 에너지 출력을 보유한 층상형 결정구조 형태의 대표적인 양극소재로서 구성하는 코발트(Co)는 중국에 매장되어 원자재 수급이 어렵기에 폐전지로부터 코발트 소재를 추출하는 소재 재활용 연구가 진행 중이다.

② NCM/NCA

삼원계로 명명되어지며, 망간(Mn) 혹은 알루미늄(Al)을 니켈 및 코발트 소재에 추가하여 제조된다. 주로 자동차 및 ESS 용도로 사용되어지고, 해당 합성법은 고도의 기술력이 요구되며 순간적으로 강한 에너지를 분출하는 니켈의 특성을 해결하기 위한 안정성 확보와 코발트 사용량을 줄여 원가 경쟁력을 높이는 연구가 진행 중에 있다.

③ LMO

LCO 대비 가격이 저렴하나, 열화학적으로 불안정한 소재다

④ LFP

구조적 안정성이 우수한 올리빈(Olivine) 구조의 물질로 긴 수명을 보유하고 있다.

2) 음극재

리튬이온전지는 크게 충전 및 방전 전압이 높은 양극(Cathode), 충전 및 방전 전압이 낮은 음극(Anode), 리튬이온의 이동 전달 매개체인 전해질(Electrolyte) 그리고 전기적 단락 방지를 위한 분리막(Separator), 4가지 구성 요소로 구성되며, 음극은 양극에서 나온 리튬이온을 저장 방출함으로써 전기를 발생시키는 역할을 수행한다.

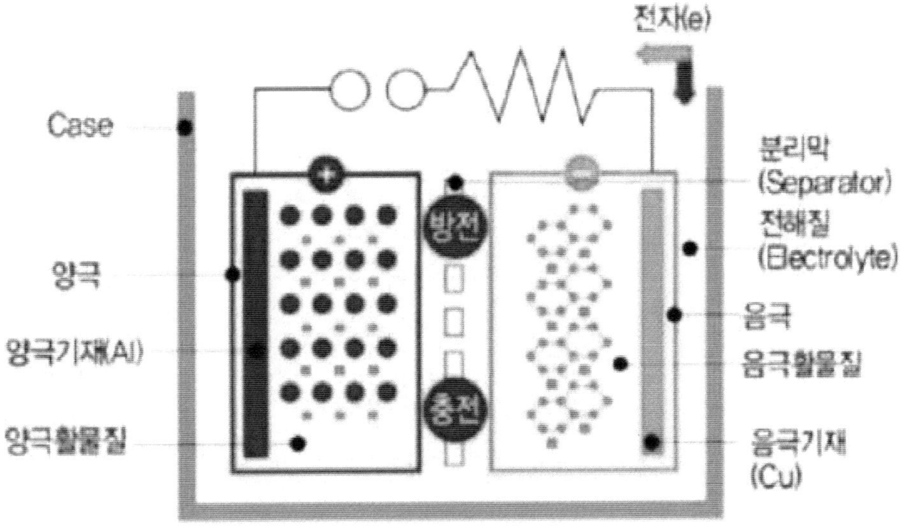

[그림 42] 리튬 이온배터리 구조

방전시 양극과 음극을 도선으로 이어 주면 전해액을 통해 리튬이온이 다시 양극으로 이동하게 되고, 리튬이온과 분리된 전자(e-)가 도선을 따라 이동하면서 전기가 발생한다. 음극재는 집전체 위에 활물질, 도전재, 바인더로 구성된다. 흑연은 구조적 안정성, 낮은 전자 화학 반응성, 우수한 리튬이온저장 능력, 저렴한 가격 등의 이유로 음극 활물질로 주로 사용된다.

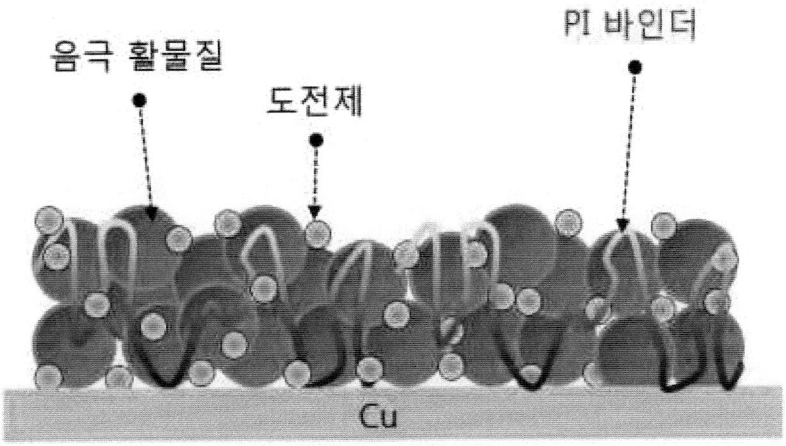

[그림 43] 리튬이차전지의 음극 구조

리튬이차전지의 음극활물질로 사용되기 위한 조건은 아래 표와 같고, 해당 조건에 가장 부합하는 물질인 탄소질 물질(graphite, Coke, meso carbon 등)이 음극 활물질로 사용된다.

음극활물질 사용 조건
• 리튬금속의 표준전극 전위에 근접한 전위를 가져야 함 • 리튬금속의 표준전극 전위에 근접한 전위를 가져야 함 • 부피당, 무게당 에너지 도가 높아야 함 • 뛰어난 사이클 안정성(높은 쿨롱 효율)을 보여야 함 • 고속 충.방전(rate capability)에 견딜 수 있어야 함 • 안정성을 보장해야 함

[표 48] 음극활물질 사용 조건

MCMB(graphitized Meso Garbon Micro Beads)는 음극활물질로 가장 널리 사용되고 있는데, MCMB는 콜타르로부터 열처리된 물질이며 입자 형태가 구형이어서 미세한 성형이 가능한 제품이다. 또한, 표면적이 작아서 충/방전 시에 부반응이 발생할 수 있는 확률이 적은 장점을 갖고 있어서, 전지용 음극활물질로 가장 안정된 특성을 나타내는 것으로 평가받고 있다.

리튬이온 2차 전지의 용량 확대를 위해서는 음극활물질 성능 향상이 필요하다. 탄소질 물질은 안정성과 가역성(리튬이온을 주고받는 능력)은 뛰어나나 용량 측면에서 한계가 존재한다. 리튬 이차전지는 지금보다 최소 두 배 이상의 용량을 가져야 하며, 이를 위해선 새로운 음극활물질이 필요한 상황이다.

최근 Si 이용하여 용량을 4배 이상 증가 시킬 수 있는 물질이 개발중에 있으나, 충/방전 cycle 후 음극 활물질의 부피가 증가하는 문제로 실제 전지 제작에는 적용되지 못하고 있다. Nano-Technology가 적용된 탄소 재료들이 등장하고 있으나, 고가의 가격 때문에 현재로서는 상용화까지는 어려운 상황이다.

① 용도별 분류

현재는 음극재로 주로 탄소계 활물질을 채택하고 있으나, 차세대 음극재는 금속 합금계와 금속산화물계 소재로서, 금속산화물계는 안정성과 출력이 우수하다는 장점이 존재한다. 금속합금계에서 금속 성분은 Si, Ge, Pb, Sn, Al 등을 주로 사용하며, 금속 산화물계는 Ti 금속이 주로 사용된다. 티타늄산화물은 고출력, 급속충전이 가능하여 스포츠카용 전기차 소재로 일부 사용되고 있다. 금속 합금계 중에서 실리콘합금 소재는 고용량 특성을 보유하고 있어, 스마트폰 등 모바일기기 적용을 위해 개발이 진행중이다. 최근 스마트폰 대형화와 고기능화에 따라 고용량에 대한 요구가 커지고 있어 고용량 음극재의 개발과 채택이 가속화될 것으로 전망된다.

성분	용량(mAH/g)	밀도(Wh/cc)	안정성	세부내용
인조흑연	360	1.99	낮음	• 일본업체가 장악하고 있으며, 고가로 대부분 천연흑연과 혼합하여 사용함
천연흑연	365	2.02	낮음	• 모바일기기용에 주로 적용
저온탄소계	235	1.07	좋음	• HEV용 리튬이온전지에 적용 증가세
금속복합계	500 <	2.13 <	낮음	• 에너지밀도가 흑연계 대비 2~3배 수준 • 가역용량 감소 때문에 전지수명 단축
산화물계	160	0.53	매우 좋음	• 출력용량과 안정성 우수 • 에너지밀도가 흑연계의 절반 수준

[표 49] 음극재 성분에 따른 특성

② 기술별 분류

리튬이온전지 음극활물질은 천연 흑연, 인조 흑연, 금속계, 저 결정탄소(소프트 카본, 하드 카본) 등으로 구분된다. 인조 흑연은 고열을 가해서 흑연의 고 결정 구조를 만들기 때문에 천연 흑연보다 조직이 안정적이고, 수명이 2~3배 우수하다. 전기차용으로는 성능 향상이 유리한 인조 흑연이 사용 확대되고 있다.

구분	천연 흑연	인조 흑연	저결정탄소	실리콘 기반
구조 형상	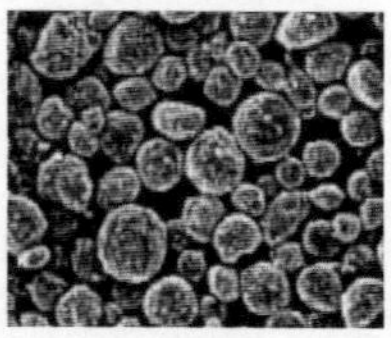	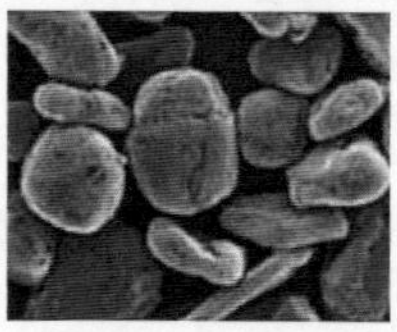	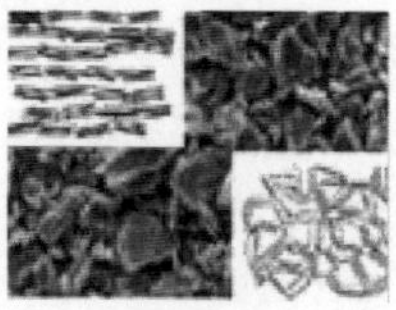	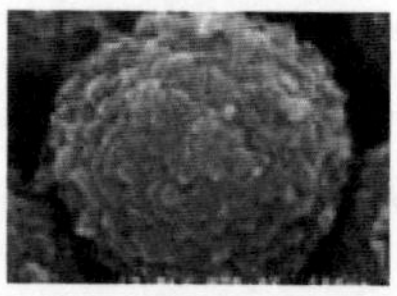
원료	천연 흑연	Pitch/Cokes	Pitch/Cokes, 열경화수지	SiOx, Si 탄소 복합계
전지용량 (mAh/g)	350~370	270~350	200~300	800~1,600
초기 충/방전 효율(ICE)	90~93%	92~95%	80~90%	73~87%
출력	하	중	상	중
수명	상	상	중	하
가격($/kg)	7~12	4~10	8~12	40~150
장점	고용량	고수명	고출력	고용량

[표 50] 음극활물질의 종류 및 특성

① 금속계

금속을 음극으로 사용하면 이론적 용량이 질량 기준 10배, 부피 기준 3배 이상 늘어나 배터리 효율을 획기적으로 높일 수 있으며, 리튬 메탈은 가장 높은 셀 전압을 보유하는 장점이 있다. 하지만 금속 음극재가 리튬 반응성이 좋다보니 충/방전을 반복하는 과정에서 음극 표면이 적체돼 나뭇가지 모양의 덴트라이트가 생성되는 점이 극복해야 할 과제다.

② 저결정 탄소

결정구조가 불안정하여 수명이 짧으나, 리튬이온 출입 속도가 빨라 고속 방전에 용이한 소재다.

3) 전해질

전해질은 양극과 음극 사이를 오가며 전기화학 반응이 원활하도록 리튬이온(Li+)의 이동이 일어나는 매체다. 액체전해질은 유기용매, 리튬염 및 첨가제의 종류에 따라 특성이 결정되며, 특히 저온 및 고온특성 향상, 고출력 향상, 장수명 특성 향상 등 셀의 성능향상을 위한 다양한 유·무기계 기능성 첨가들이 개발되고 있다. 액체전해질과 고체전해질의 중간 단계 성격으로 겔 폴리머 전해질이 개발되었고, 파우치형 폴리머 전지에 일부 사용되고 있다. 고체전해질은 높은 이온전도도를 갖는 무기계 전해질 소재 개발을 진행하고 있으며, 아직은 상업적으로 활용하기에는 다양한 각도에서 적용성을 개선할 시간이 필요하다. 겔 폴리머 전해질의 이온전도도는 액체전해질 만큼은 아니지만 비교적 양호하고 저온특성과 고온 안전성도 우수하지만, 기계적 강도가 낮고 액체전해질 대비 낮은 함유량으로 성능이 저하되는 단점이 있다.

4개 핵심 소재인 양극, 음극, 분리막, 액체전해질로 구성되는 이차전지에서 액체전해질은 이차전지용 셀의 어셈블리(음극/분리막/양극) 후 최종단계에서 주액된다. 전해액은 리튬염, 유기용매, 첨가제로 구성되어 있다. 리튬염은 리튬이온이 지나갈 수 있는 이동 통로를 제공하고, 유기용매는 염을 용해시키기 위해 사용되는 유기 액체이며, 첨가제는 다양한 기능을 위해 소량으로 다종 첨가되는 기능성 액체다.

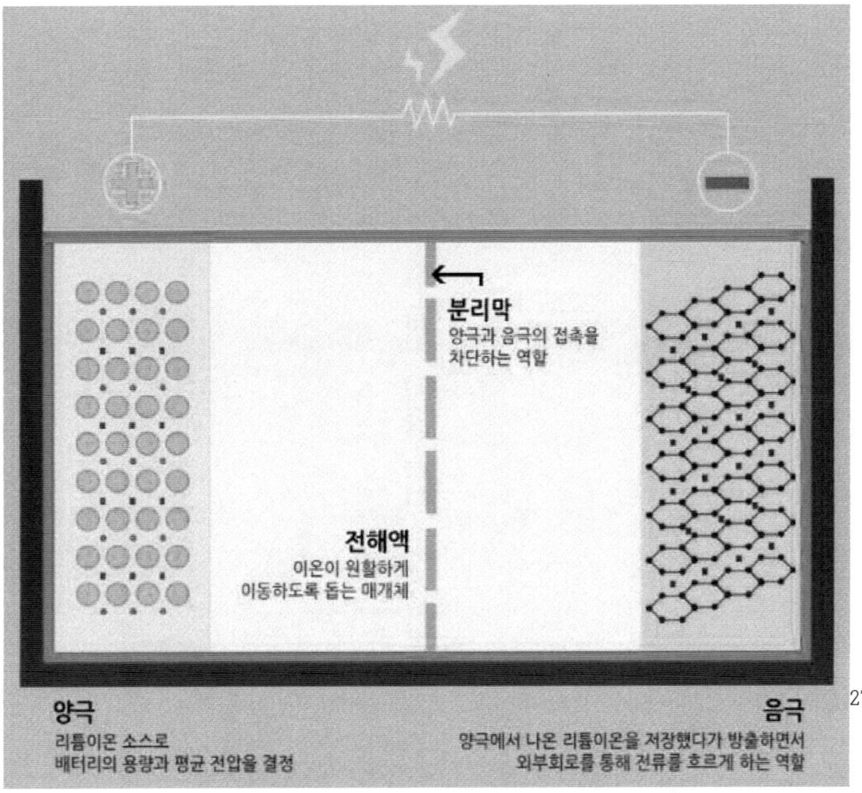

[27]

[그림 48] 리튬이온전지의 4대 핵심소재 구성

27) 출처: 삼성SDI

① 용도별 분류

전해질 관련 용도별 기술개발이 축적될 경우 기존의 모바일 IT 분야와 더불어 전기자동차 산업 및 신재생에너지 효율화 산업이 가속화되어 전 산업 분야에서 추가적 부가가치 창출이 가능하다.

용도	세부 내용
모바일 IT용	에너지밀도 향상을 위한 양극재의 고전압(>4.5V)에 적합한 고전압 안전성 전해질 개발
전기자동차용	전해질의 온도 민감성을 개선시킬 수 있고 발화를 억제할 수 있는 전해질 개발
에너지저장시스템용	고출력, 대형화가 될수록 안전성 및 장수명 특성이 보장된 저가격형 전해질 개발

[표 51] 용도별 분류

② 기술별 분류

전해질은 크게 세 가지로 분류되고 각 전해질 별 구성요소 및 특성이 다르다.

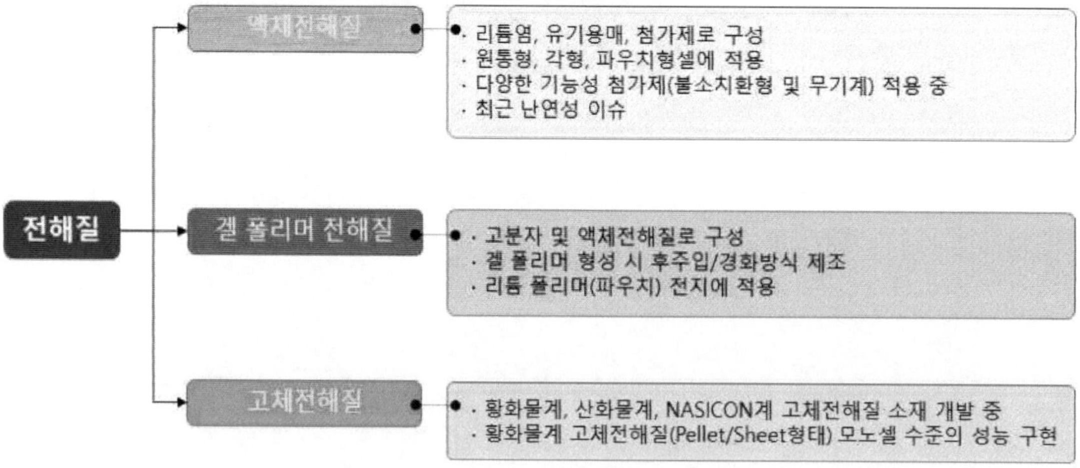

[그림 49] 전해질의 분류 및 구성요소

① 액체전해질

현재 상용화된 리튬이온전지(원통형, 각형, 파우치형셀)에 적용되고 있는 전해질로 유기용매와 리튬염 그리고 기능성 첨가제로 구성된다. 리튬이온전지의 용도 및 규격에 따라 다양한 유무기 첨가제 설계 및 적용이 진행되고 있다. 최근 배터리의 안전성 문제에 따른 난연성 기능 첨가제에 대한 이슈가 부가되었다.

② 겔 폴리머 전해질

분리막 양면에 고분자를 코팅후 액체전해질을 후주입하거나 전해액내 경화형 고분자를 혼합하여 열경화를 통해 겔을 형성하는 전해질이다. 성능구현을 위해 액체전해질을 반드시 사용해야 하나, 기존 액체전해질에 비해서는 안전성 면에서 일부 향상. 리튬 폴리머(파우치) 전지에 주로 적용하고 있으며, 기계적 강도가 취약하여 분리막을 대체할 수 있는 기술은 아니다.

③ 고체전해질

황화물 또는 산화물계 고체전해질 파우더를 가압 또는 열처리를 통해 Pellet/Sheet 형태로 제조하여 적용하는 분리막을 대체할 수 있는 전해질이다. 현재는 액체전해질 대비 낮은 이온전도도를 극복하기 위한 소재 연구에 집중하고 있으며, 황화물 고체전해질을 적용한 모노셀 수준의 구현 가능성만 확인하는 수준이다.

4. 2차 전지 기술적인 원리

1) 2차 리튬이온 전지

리튬 이온 2차 전지는 에너지 밀도가 높고, 작동 전압이 높을 뿐 아니라 우수한 보존 및 수명 특성을 보이는등의 많은 장점을 지니고 있다. 따라서 리튬 이온 2차 전지는 3C로 불리우는 개인용 컴퓨터(Personal Computer), 캠코더(Camcorder), 휴대용 전화기(Cellular phone 외에도 휴대용 CD player나 PDA와 같은 개인용 무선 전자 제품에도 폭넓게 적용되고 있다.[28]

리튬 이차전지는 양극(Cathode), 음극(Anode), 분리막(Separator), 전해질 (Electrolyte) 등으로 구성되어있다. 이때, 양극은 리튬 이온의 공급원이며 충전시 산화반응이 일어나면서 리튬 이온을 방출하며, 방전시 환원반응이 일어나면서 리튬 이온을 흡수한다.

음극은 양극과 반대로 충전시 리튬 이온과 전자(Electron)를 흡수하며, 방전시 리튬 이온과 전자를 방출한다. 분리막은 전지의 양극과 음극을 분리하여 내부단락(닿는 것)을 방지함과 동시에, 충·방전이 일어날 수 있도록 리튬 이온을 통과시키는 기능을 하는 다공성 고분자 필름이며, 전해질은 양극과 음극에서 산화 또는 환원된 이온이 이동할 수 있는 통로를 제공한다.

① Pole과 전자수수[29]

전지의 pole은 고전위전극과 저전위전극을 각각 (+)와 (-)로 나타내며, 양극 및 음극으로 나타낸다. 전지사용(방전) 시, 정극은 전위가 낮아지는 쪽으로 반응이 진행되어지면서 전자를 띈다. 리튬이온전지의 경우 리튬이온의 sink 역할을 하고, 음극은 양극과 반대의 형태로 발생한다. 즉, 전자를 잃고 전위가 높아진다. 본 방전과정 중 시스템의 전체 에너지는 감소하며, 감소된 에너지는 외부도선으로 전달되어 사용할 수 있는 직류형태의 전기 에너지가 되는 것이다. 다시 말해, 본 방전 과정은 여기상태(excited state)에서 기저상태(ground state)로 진행하는 화학반응의 에너지를 전기에너지로 전환하는 과정이다. 충전과정에서는 방전의 역과정이 일어나게 된다.

② 전압특성

리튬이온전지의 경우 전지전압은 양극재료와 음극재료에 intercalation된 lithium의 electrochemical potential(- G/ nF)의 차이로 표현할 수 있으며, 고전지전압을 구현하기 위한 양극 및 음극 재료의 선정이 필요하다. 상용 리튬이온전지는 리튬에 대하여 4v급인 니켈, 코발트 또는 망간의 산화물을 기본으로 하는 양극재료를 사용하며, 리튬에 대하여 0~1v급인 lithium intercalated carbon (LIC)을 형성할 수 있는 탄소를 음극재료로 사용하여, 평균 전위차가 3.6 V로서 높은 전지 전압을 나타낸다.

---

28) 김민수, “첨단 정보화사회의 필수품, 배터리의 모든 것”, 2002.04.17
29) 이후 설명 김준학, <이차전지의 기술, 시장 동향 및 특허동향>보고서 참조

③ 수명 특성

2차전지는 충방전에 따른 가역성 (rever sibility)이 우수하여야 하며, 재료의 dimension change가 없어야한다. 리튬이온전지는 충방전에 따른 재료의 dimension 변화가 적은 intercalation재료를 사용하는 전지로서, 납(Pb)이나 카드뮴(Cd) 등을 사용하는 전지에 비하여 수명특성이 현저히 개선된 전지이다.[30]

---

30) 이상 김준학, <이차전지의 기술, 시장 동향 및 특허동향>보고서 참조

2) 2차 리튬이온전지 생산공정

리튬 이차전지 생산공정은 극판공정, 조립공정, 화성공정으로 구분할 수 있다.

① 극판공정

극판공정은 양극활물질과 음극활물질에 유기용매 등을 섞어 Slurry 상태로 만든 후, 양극활물질은 알루미늄박(Al Foil), 음극활물질은 구리박(Cu Foil) 위에 코팅하여 양극재와 음극재를 생산한다.

② 조립공정

조립공정은 크기에 맞게 Slitting(절단)된 양극재와 음극재 사이에 분리막을 삽입하고 와인딩하여 Jelly Roll를 만든 후 전해질을 주입하는 공정이다.

③ 화성공정

화성공정은 양극재와 음극재에 전해질이 잘 스며들도록 Aging 및 충·방전을 통해 전류가 자발적으로 흐를 수 있도록 전지를 활성화시킨다.

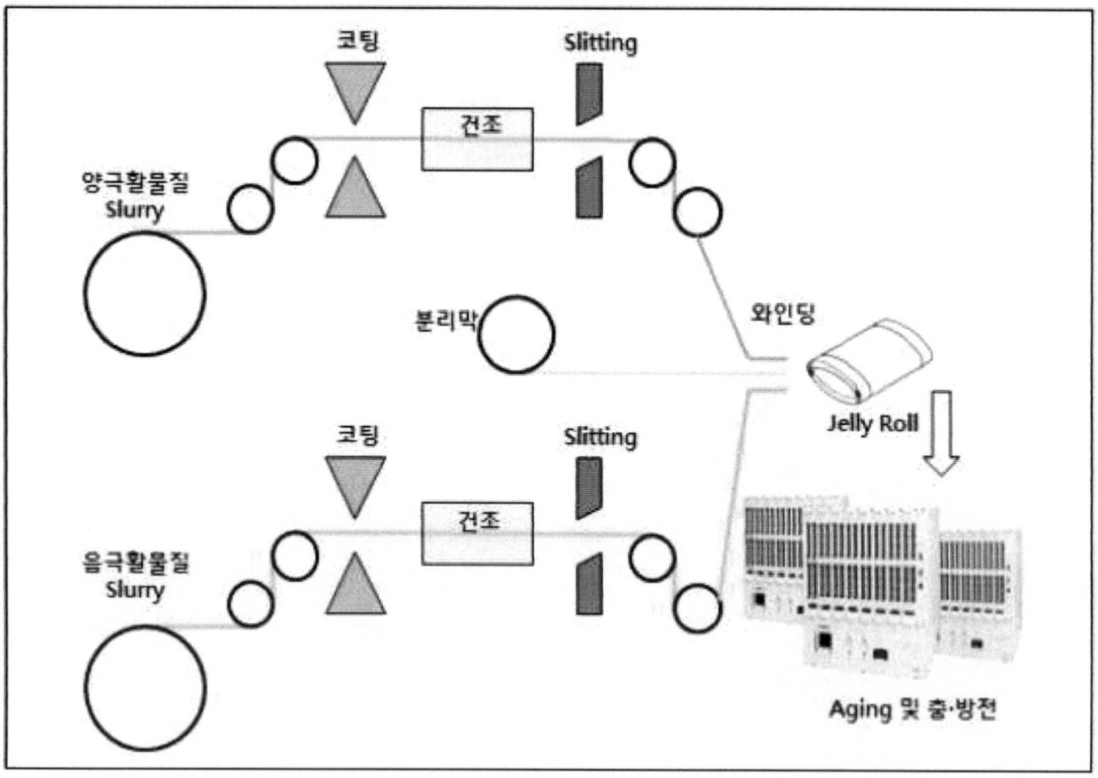

[그림 50] 리튬 이차전지 생산공정

3) 2차 리튬이온 전지 구성요소

① 2차 전지 구분

리튬 이차전지는 형태에 따라 원통형과 각형 및 폴리머로 구분된다. 원통형은 주로 전동공구 등 고출력이 요구되는 기기에 적용되며, 각형과 폴리머는 휴대폰, 전기자동차 등에 주로 사용된다. 이번 장에서는 원통형 리튬 이온 전지와 각형 리튬 이온 전지의 구성도에 대해서 살펴보고자 한다.

리튬 이온 전지의 내부는 다음과 같이 미세한 공극(pore)을 가진 polyethylene 필름의 분리막이 시트(sheet) 형태의 양극과 음극 사이에 놓여있는 것을 나선형으로 감은 구조로 되어있다. 양극 쪽은 리튬 코발트 산화 금속의 활물질을 리튬 공급원으로서 이용하며, 전류 집전체인 알루미늄 호일로 구성하고 있다.

음극은 활물질로서 흑연화 탄소와 전류 집전체인 구리 호일로 구성되어 있으며, 전해액은 LiPF6가 용해된 유기 용매이다. 또한 리튬 이온 2차 전지는 가혹한 조건하에서 내부압을 방출하기 위한 안전변(safety vent)이 있을 뿐만 PTC(Positive Temperature Coefficient) 소자가 있어 외부 단락에 의한 급격한 전류를 정상적인 방전 전류로 낮추어주는 역할을 하고 있다.

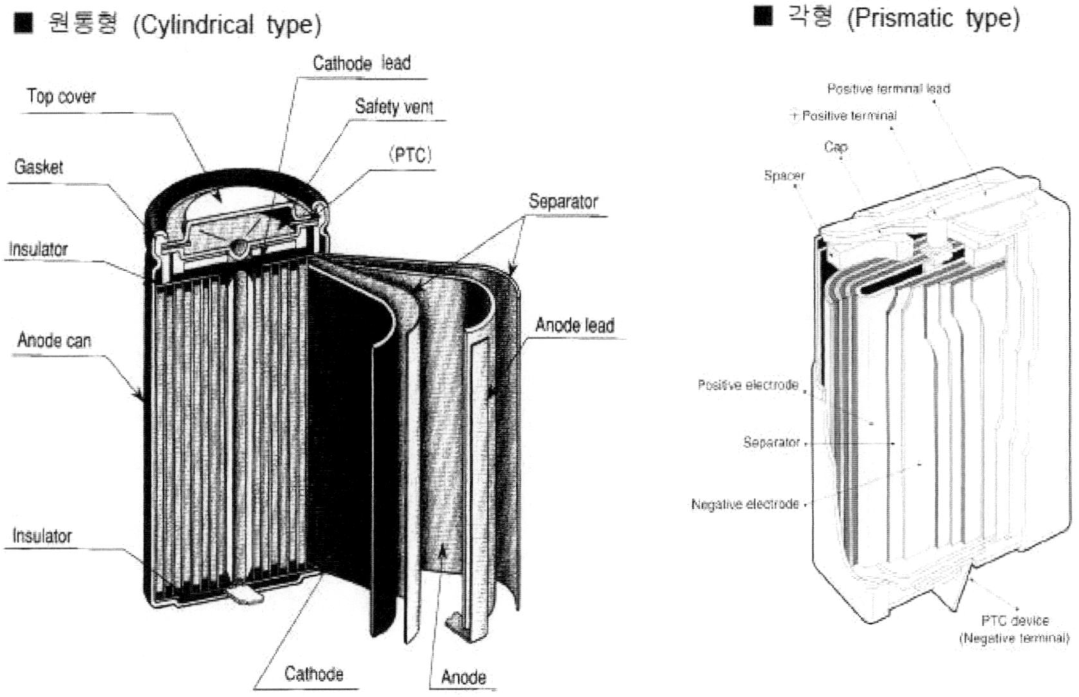

[그림 51] 리튬이온 이차전지의 구조

31)

31) 출처: Google

② 2차 전지 구성 요소

2차 전지의 구성 요소는 이러하다. 크게 4가지로 나누어 생각해 볼 수 있으며 이를 양극재료, 음극재료, 전해약, 격리막으로 살펴볼 수 있다.

양극 재료는 충전시에 리튬이 undoping 되고, 방전시에는 doping 될 수 있는 화합물을 말하며 LiCoO2(코발트산리튬) LiNiO2(니켈산리튬) LiMn2O4(스피넬형 리튬망간산화물)등이 있다. 양극은 배터리의 용량과 전압을 결정하는데 얇은 알루미늄기재가 있고 활물질, 도전제, 바인더가 있고 이를 활물질, 도전제, 바인더를 합쳐서 합제라고 부른다.

이 중에 가장 많은 비율을 차지하는 리튬산화물로 구성된 활물질이 있는데, 여기에 소량의 도전제를 넣어 리튬산화물의 전도성을 높여주는 것이다. 바인더는 이들이 잘 붙을 수 있게 '풀'과 같은 역할하며, 이렇게 섞인 합제를 얇은 알루미늄기재 양쪽에 바르면 양극이 만들어지는 것이다.

특히 양극은 리튬이온 배터리에서 용량과 전압을 결정하는 역할을 하고 있는데, 양극에 있는 리튬이 전해질에 녹아 들어가면서 이 순간 리튬은 리튬이온으로 변하한다. 이 과정에서 나온 전자들은 도선을 통해 음극으로 이동하게 되고 이 움직임이 배터리의 충전 원리인 것이다. 얼마나 많은 리튬이 리튬이온으로 변신할 수 있는지는 활물질의 종류마다 차이가 존재하며, 리튬산화물의 종류에 따라서 전압도 결정되기도 한다.

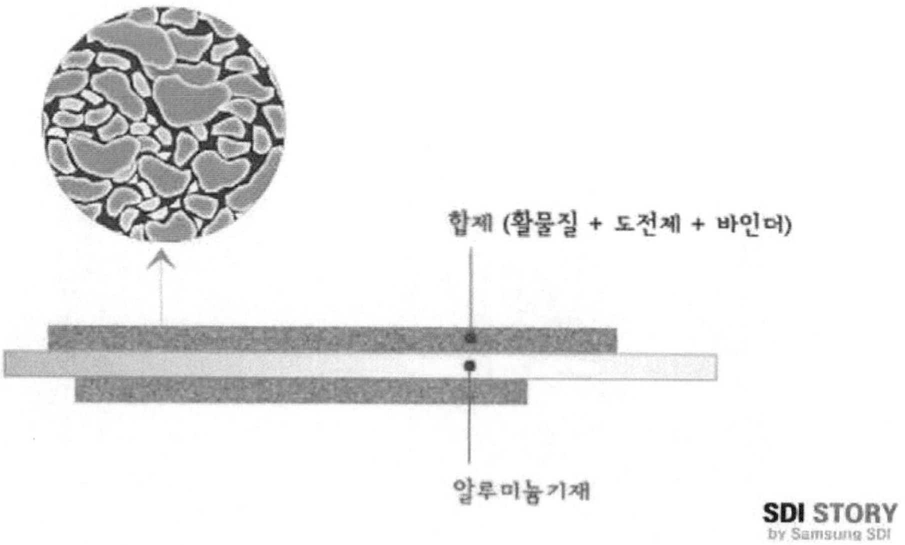

[그림 52] 양극 구성도

32)

32) 자료: 삼성 SDI

음극 또한 양극처럼 활물질 형태로 이루어져 있는데, 음극 활물질은 양극으로부터 나온 리튬 이온을 흡수, 방출하면서 외부회로를 통해 전자를 흐르게 하여 전기를 발생시키는 역할을 한다.

음극재료에는 대부분 탄소재료가 사용되고 있으며 대표적으로 흑연계(Graphite series),탄소 흑연(코크스계)(Graphitizable carbon), 난흑연화성탄소계(Nongraphitizable carbon)가 이용된다. 특징으로, 음극 활물질로 사용되기 위해서는 안정성, 낮은 전자 화학적 반응성, 가격 등 많은 조건들이 있는데, 앞서 언급한 것과 같이 그 중에서도 제일 중요한 조건은 바로 리튬 이온을 많이 저장할 수 있는 능력이다.

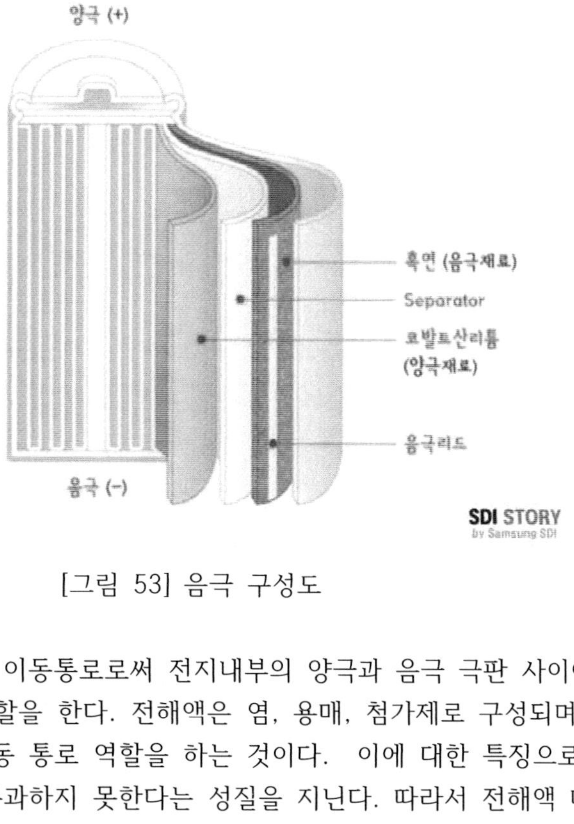

[33]

[그림 53] 음극 구성도

전해액의 경우 리튬 이온의 이동통로로써 전지내부의 양극과 음극 극판 사이에서 리튬이온이 이동할 수 있도록 매개체 역할을 한다. 전해액은 염, 용매, 첨가제로 구성되며 이 중 염이 리튬이온이 지나갈 수 있는 이동 통로 역할을 하는 것이다. 이에 대한 특징으로 전해액은 이온들만을 이동시키며 전자는 통과하지 못한다는 성질을 지닌다. 따라서 전해액 따라서 전해애은 리튬이온이 쉽게 이동할 수 있도록 점도가 낮아야 하며, 전지 구성성분과는 반을을 하면 안되며, 전해액의 사용 온도 범위가 넓어야 한다는 특징 등을 갖고 있다.

전해액은 유기용매를 주체하는 비수전해액을 이용하고, 용매에는 리튬염을 용해에 이온 도전성을 부여한 다음 리튬과의 화학 반응을 막기 위해 비프론성 극성을 가진 것이 사용된다.

---

33) 자료: 삼성 SDI

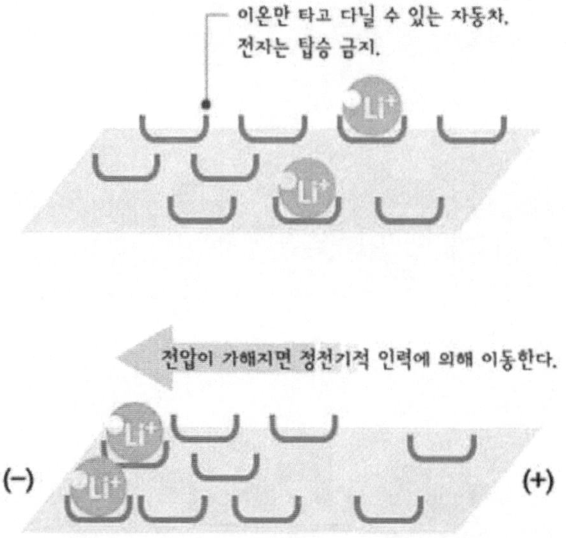

34)

SDI STORY by Samsung SDI

[그림 54] 전해액의 이동

격리막의 경우 양극과 음극 사이의 전자적 물리적 접촉을 방지 하면서 이온을 통과시키는 Spacer로서의 역할을 하고 있는 막을 말한다. 이는 양극과 음극을 물리적으로 분리하여, 전자가 직접 흐르지 않도록 하고, 내부의 미세한 구멍을 통해 이온이 이동할 수 있게 만들어, 전하의 흐름이 가능하게 해준다. 또한 분리막은 양극과 음극이 직접 접촉하는 것을 잘 막아줘야하며, 이온 전도시 저항을 최소화하기 위해 전해액과의 친화력도 높아야한다. 이온의 흐름을 원활히 하기 위해서는 다공성도 높고 얇을수록 좋으며, 안정성을 위해서는 일정 수준의 기계적 강도와 화학적 안정성, 전기 화학적 안정성도 유지해야 한다는 특징이 있다.

구분	주요 구성 요소
양극 (Positive Electrode)	활물질, 도전제, 결합제, 기재
음극 (Negative Electrode)	활물질, 결합제, 기재
격리막 (Separator)	미세 다공성 폴리에틸렌 수지막
전해액 (Organic Electrolyte)	리튬염 + 유기용매 (LiPF6,LiBF4,LiClO4등) + (EC, PC, DMC, DEC등)
안전장치 (Safety Devices)	Safety Vent, PTC, CID, 보호회로

[표 52] 리튬이온 이차전지의 구성요소

34) 자료: 삼성 SDI

5. 2차 전지 기술의 장·단점

1) 장점[35)]

① 무게와 용량

리튬계열 배터리의 가장 큰 장점은 가벼움과 용량이다. 현재 상용화되고 있는 2차 전지 중 가장 높은 에너지 밀도를 갖고 있으며, 최고의 무게 대비 용량을 갖고 있다.

가벼운 리튬 금속을 사용하기 때문에 다소 무거울 수 있는 니켈계열 배터리에 비해 무게를 크게 줄일 수 있다는 장점이 있다. 게다가 높은 에너지 밀도 덕분에 배터리의 소형화가 가능하게 되었고, 휴대용 기기들의 크기를 줄이는데 큰 일조를 하였다.

② 기전력

리튬-이온 배터리의 기전력은 3.6v로 크다. 이 전지 하나로 휴대 전화를 작동시킬 수 있는데, 니켈계열 배터리의 기전력이 1.2v이어서 이 전지를 세 개를 직렬로 연결해야 같은 전력을 얻을 수 있다는 점을 고려하면, 리튬이온 배터리의 효율성을 알 수 있다.

③ 고용량

리튬-이온 배터리의 고용량은 고전압에서 나오는데, 소비전력은 전압과 전류량의 곱으로 이루어지며, 용량 또한 같은 1,000m A배터리라도 실제 사용할 수 있는 용량은 니켈-수소배터리와 비교할 때 두 배 이상 사용이 가능하다.

또한 고전압이 필요한 경우 기존의 니켈계열 배터리는 3개의 셀을 직렬 연결해야 하지만, 리튬계열 배터리의 경우 단 하나의 셀로 연결이 가능하다는 큰 장점을 지닌다. 이뿐만 아니라 리튬 이온의 움직임만으로 전지가 이루어지므로 사이클 특성은 대단히 우수하며 500회 이상의 충·방전이 가능하다.

---

35) AS산업협회, “리튬-이온 배터리의 장점 및 단점” 2014.03.31

2) 단점[36]

① 수명

리튬-이온 배터리는 제도된 직후부터 열화(degrading)가 시작된다. 사용중는 상관없이 시간의 흐름에 따라 노화가 발생한다. 그래서 대개 리튬 전지의 수명은 2~3년 정도이다. 또한 온도에 민감한 배터리이기 때문에, 온도가 높을수록 노화가 빨리 진행되며, 0℃에서는 연간 약 6%,25℃에서는 약 20%, 40℃에서는 약 35%의 용량(수명)감소가 일어난다.

② 안전 문제

리튬-이온 배터리를 잘못 취급하면 심각한 안전 문제를 야기할 수 있는데, 너무 고온으로 유지하거나 직사광선이 잘드는 곳에 배터리를 오랜 시간 방치하면 폭발에 위험성을 갖는다. 리튬은 고온이나 일반 공기와 맞닿을시 불이 붙는 인화성질을 갖고 있기 때문에 기본ㄴ적으로 폭발, 발화의 위험을 갖고 있다.

그러므로 리튬-이온 배터리의 경우 외부의 강한 충격이나 압력으로 내부에 양극이 접합되는 변형이 오거나 가열하면 전지 내부의 온도와 압력이 급속히 올라가게 되는데 이 때 리튬이온 전지를 감싸고 있던 금속 캔이 부풀어 오르게 되고 압력을 견디지 못해 폭발하게 된다. 이로 인해서 내부의 리튬 성분이 공기와 만나 발화하게 되는 것이다.

③ 충전과 방전

충전이나 방전에 있어서도 리튬-이온 배터리는 대단히 까다롭다. 리튬-이온 배터리는 충전시에 보통 4.2V 정도에 고전압을 요구하게 되며, 과충전이 될 때에는 당연하게도 열역학 법칙에 의해 남는 에너지는 열에너지로 형태로 방출하게 된다. 이는 당연히 배터리 폭발의 위험성을 갖게 되는 것이다.

이는 또한 기전압 2.8V 이하까지 과방전할 경우 리튬 이온과 음극 집전체 표면에서 구리가 부식되기 시작하면서 성능이 대폭 떨어지는데, 이 경우 배터리가 크게 손상되게 된다. 이로 인해 배터리 제조사들은 배터리에 별도의 제어 솔루션을 장착하게 하면서 과충전과 과방전의 배터리 잔량체크까지 확인 하면서 그 문제를 해결하려 하고 있다.

36) AS산업협회, “리튬-이온 배터리의 장점 및 단점” 2014.03.31

3. 2차 전지 시장 전망

III 2차 전지 시장 전망

1. 해외 동향[37)38)39)40)]

이차전지 시장은 2019년 878억 달러에서 연평균 성장률 8%로 증가하여 2025년에는 1,482억 달러에 이를 것으로 전망된다.

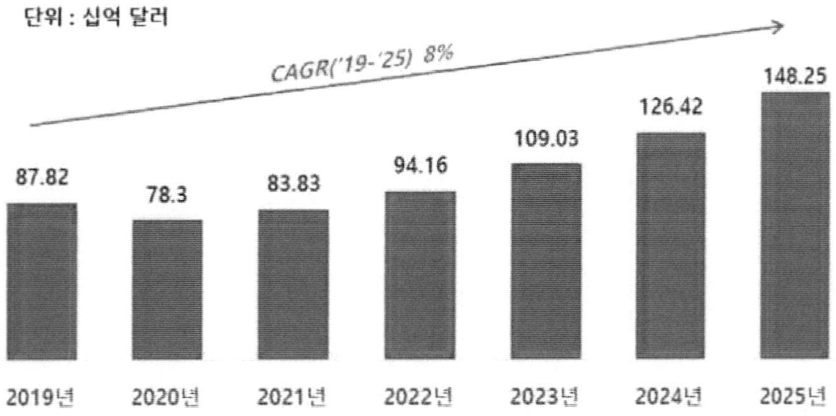

[그림 56] 전 세계 이차전지 시장 규모 및 전망

TechNavio에 따르면, 전 세계 이차전지 시장은 2019년 806억 8,000만 달러에서 연평균 성장률 11.06%로 증가하여, 2024년에는 1,363억 달러에 이를 것으로 전망된다.

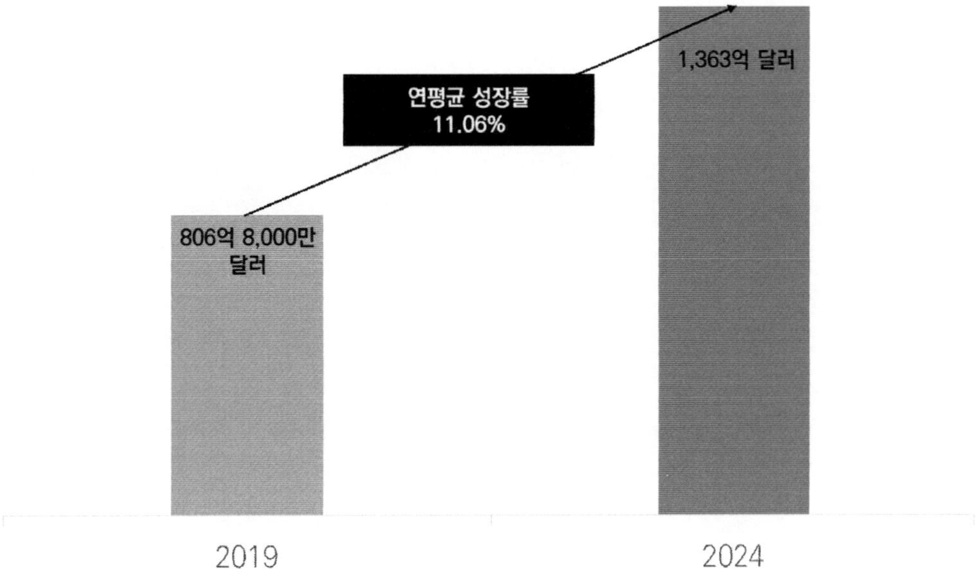

[그림 57] 글로벌 이차전지 시장 규모 및 전망

37) 유망시장 Issue Report 이차전지, 연구개발특구진흥재단, 2021.06
38) 중소기업 전략기술로드맵 2021-2023 이차전지, 중소기업벤처부
39) 이차전지 시장, 글로벌 시장동향보고서, 연구개발특구진흥재단, 2021.06
40) 리튬이온배터리, 한국IR협의회, 2020.08.06

Global Secondary Battery Market에 따르면 세계 이차전지 시장은 '24년까지 매년 11.1%씩 성장하여 136,300백만 달러의 시장규모가 형성될 것으로 예상된다.

구분	2018	2019	2020	2021	2022	2023	2024	CAGR
세계 시장	72,635	80,680	87,580	96,030	106,570	119,680	136,300	11.1

[표 53] 이차전지 산업의 세계 시장규모 및 전망 (단위 : 백만 달러, %)

전 세계 이차전지 유형별로는 납축전지가 가장 큰 부분을 차지하고 있으며 리튬이온 배터리가 2위를 차지하고 있다. 향후 리튬이온 배터리에 대한 성장세가 예상됨에 따라 2024년에는 순위가 역전되어 리튬이온 배터리가 이차전지 시장에서 주요 배터리 유형으로 성장이 전망된다. 전기자동차와 에너지저장장치에 탑재되는 리튬이온전지 시장수요량은 2030년에 3,392GWh 규모로 증가할 전망으로, 2019년 수요량인 198GWh와 비교하면 시장 수요량 대비 폭발적으로 성장할 것으로 기대된다.

납축전지는 2024년 49,980백만 달러의 수요가 전망된다. 납축전지는 리튬이온전지의 출현 전까지 가장 많이 사용된 이차전지로 자동차 전력 공급배터리 부문에서 여전히 큰 시장을 형성하고 있으나 유해물질로 인해 유럽의 납축전지 금지 움직임이 늘어나 시장에 악영향으로 적용될 전망이다.

리튬이온전지는 성장기 단계의 전방산업의 영향으로 소형 배터리 시장에서 전기차, 중대형 시장으로 급속한 성장중에 있으며 드론, 로봇, 스마트홈 등 미래산업 핵심 기술로 적용 가능하며 다양한 산업으로의 확장 가능성이 있다.

구분	2018	2019	2020	2021	2022	2023	2024	CAGR
납축 전지	39,700	40,290	41,600	43,170	45,060	47,310	49,980	3.9
리튬 이온 전지	36,000	36,900	42,420	49,220	57,780	68,540	82,380	14.8
기타	3,405	3,490	3,560	3,640	3,730	3,830	3,940	2.5

[표 54] 이차전지 분야 세계 시장규모 및 전망 (단위 : 백만 달러, %)

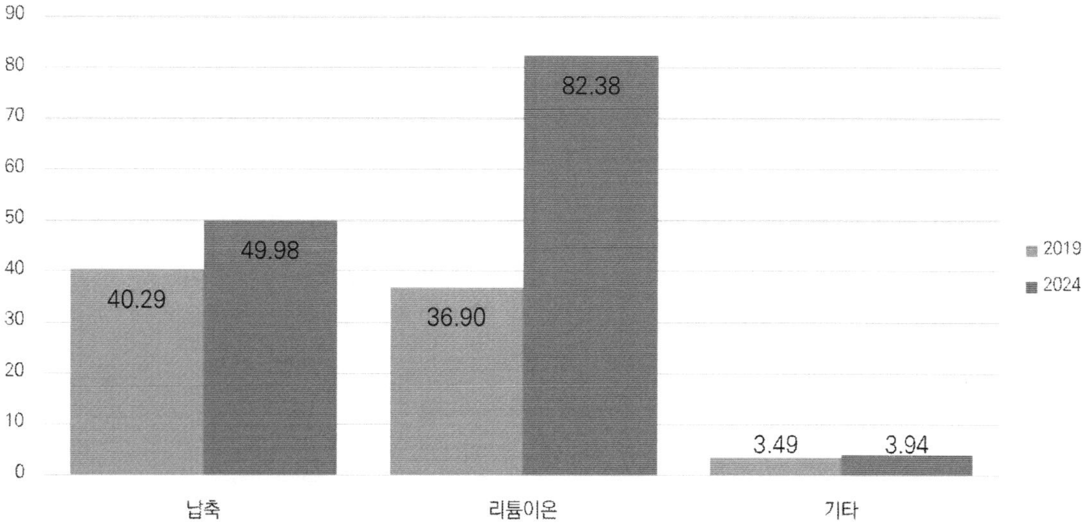

[그림 58] 글로벌 이차전지 시장의 기술별 시장 규모 및 전망 (단위: 십억 달러)

2024년 기준 이차전지 소재 수요는 2018년 대비 양극재는 5.7배(CAGR 33.3%), 음극재는 7.2배(CAGR 39%) 이상 성장할 것으로 전망된다. 글로벌 실리콘 음극재시장은 2020년 133억 원 수준이나, 2025년 5조 5천억 원 규모로 급성장할 전망이다.

구분	2018	2019	2020	2021	2022	2023	2024	CAGR
양극재	368	456	609	825	1,166	1,594	2,124	33.3
음극재	150	188	282	409	602	821	1,078	39.0
분리막 (백만m²)	2,400	2,807	4,262	6,323	9,312	.12,673	16,627	38.0
전해질	105	135	204	302	451	628	843	42.0

[표 55] 이차전지 소재별 세계시장 수요 규모 및 전망 (단위: k ton, %)

리튬이온전지의 원가 비중은 대략 양극활물질 40%, 음극활물질 10%, 분리막 15%, 전해액 10%, 기타(조립 등) 25%로 구성된다. 양극재는 전지의 고에너지밀도화와 저가화에 미치는 영향이 지대하며 함유하는 금속소재의 가격변동에 따라 양극재 원가는 영향을 받는다. 고용량 및 비용절감을 위해서는 고가격 원소인 Co 대신 1/5 수준의 저렴한 Ni로 치환하는 것이 필요하다. 최근에는 코발트함량이 낮으며, 60% 니켈함량을 가진 3원계 High니켈계 양극재의 선호도가 높다.

최근 양극재료 가격 상승으로 2018년 기준 4대 재료비 비중이 72%까지 상승하였으나, 양극재의 소재 변경이 꾸준히 진행되고 재료별 효율성 제고로 매출에서 차지하는 비중이 점차 감소하면서 비중이 하락세로 전환할 것으로 예상된다.

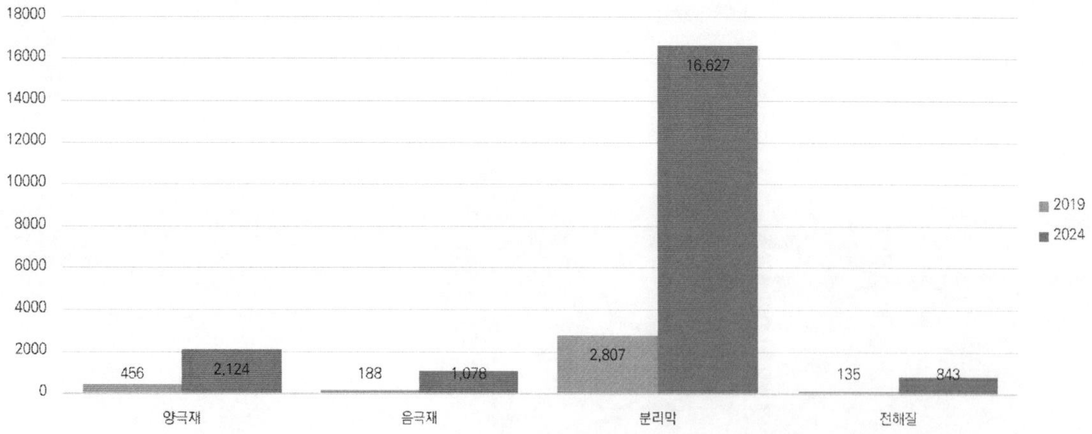

[그림 59] 이차전지 소재별 세계시장 수요 규모 및 전망 (단위: k ton)

전 세계 이차전지 시장은 용도에 따라 자동차 배터리, 산업용 배터리, 휴대용 배터리, 기타로 분류되며, 기타는 2019년을 기준으로 38.56%의 점유율을 차지하였으며, 그 뒤를 자동차 배터리가 30.19%, 산업용 배터리가17.30%, 휴대용 배터리가 13.95%로 뒤따르고 있다.

자동차 배터리는 2019년 265억 1,000만 달러에서, 2025년에는 689억 3,000만 달러에 이를 것으로 전망되며, 산업용 배터리는 2019년 151억 9,000만 달러에서, 2025년에는 304억 8,000만 달러에 이를 것으로 전망된다. 휴대용 배터리는 2019년 122억 5,000만 달러에서, 2025년에는 148억 6,000만 달러에 이를 것으로 전망되고, 마지막으로 기타는 2019년 338억 6,000만 달러에서, 2025년에는 339억 8,000만 달러에 이를 것으로 전망된다.

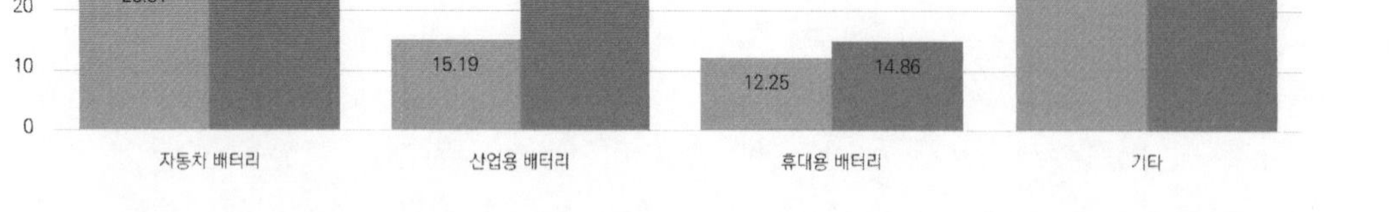

[그림 60] 글로벌 이차전지 시장의 서비스별 시장 규모 및 전망 (단위: 십억 달러)

이차전지는 IT 소형기기 중심에서 ESS 및 전기차까지 다양한 시장으로 확대될 전망이며, 이에 따라 고용량, 효율성, 낮은 가격이 중요시되고 있다. 세계 리튬이온배터리 수요 중 전기차의 비중은 2020년 37%에서 2025년 약 56%까지 성장하며 향후 5년간 수요산업별 비중 변화가 예상된다. 아시아태평양은 최대 규모의 전기자전거 시장으로 평가되며 중국 주요 도시의 전기자전거 사용금지 움직임이 있지만 한국과 일본, 인도, 대만 등의 다른 아시아 국가의 정부지원을 바탕으로 전기바이크의 수요가 증가할 전망이다.

구분	전기차	에너지저장장치 (ESS)	산업용	전기바이크 (E-bike)	IT기기
2020년	37	3	35	8	17
2025년	36	5	19	10	10

[표 56] 세계 리튬이온배터리 수요 비율 (단위 : %)

세계 이차전지 시장은 코로나로 인해 당초 예상보다 감소할 것으로 전망되며 이는, 중국과 미국이 코로나 여파로 인해 전망치가 낮아졌기 때문이다. 반면 유럽은 코로나로 인한 이동제한과 생산 중단 등의 악조건에도 불구하고 지원 정책 강화로 유럽의 전기차 시장전망은 변화가 없을 전망이다.

2019년 기준 세계 이차전지 업체 중 중국 CATL과 일본 파나소닉의 성과가 가장 두드러지며, 세계 전기차 배터리 점유율은 CATL 27%, 파나소닉이 26%를 차지했다. CATL은 대부분 자국 전기차에 공급하고, 파나소닉은 테슬라 전기차에 배터리를 납품하고 있다.

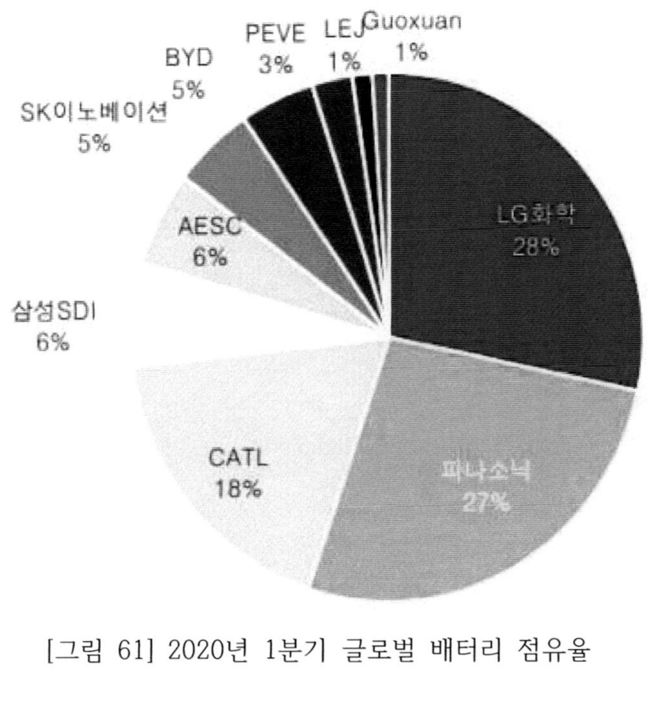

[그림 61] 2020년 1분기 글로벌 배터리 점유율

지역별 시장 규모를 살펴보면 2020년을 기준으로 아시아-태평양 지역이 50%로 가장 높은 점유율을 나타냈다. 북아메리카는 2020년 177억 달러에서 연평균 성장률 9%로 증가하여 2025년에는 304억 달러에 이를 것으로 전망되고, 유럽은 2020년 184억 달러에서 연평균 성장률 5%로 증가하여 2025년에는253억 달러에 이를 것으로 전망된다. 다음으로 아시아-태평양은 2020년 395억 달러에서 연평균 성장률 12%로 증가하여 2025년에는 793억 달러에 이를 것으로 전망되고, 마지막으로 그 외 지역은 2020년 17억 달러에서 연평균 성장률 32%로 증가하여 2025년에는 130억 달러에 이를 것으로 전망된다.

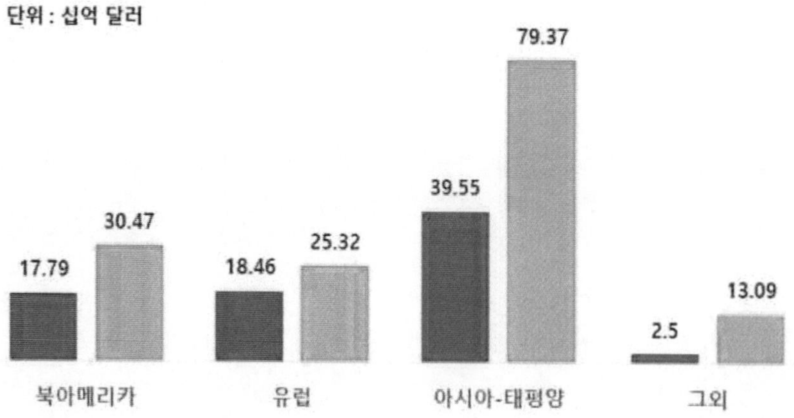

[그림 62] 전 세계 이차전지 시장의 지역별 규모 및 전망

아시아태평양 국가가 2019년에 가장 높은 이차전지 시장점유율을 보였으며 유럽, 북미, 중동&아프리카(MEA), 남미 순으로 이어졌다. 2024년까지 상기 5개 지역이 2019년과 같은 순위를 유지할 것으로 예상되며, 아시아·태평양 국가는 이차전지 시장에서 큰 역할을 담당할 것으로 전망된다.

구분	2018	2019	2020	2021	2022	2023	2024	CAGR
아시아태평양	37,223	42,070	46,490	51,900	58,610	66,970	77,580	13.0
유럽	15,679	17,060	18,160	19,500	21,200	23,310	25,980	8.8
북미	14,697	16,070	17,180	18,550	20,270	22,400	25,100	9.3
중동&아프리카	2,804	2,990	3,130	3,300	3,780	3,780	4,120	6.6
남미	2,323	2,490	2,620	2,780	3,220	3,220	3,520	7.2

[표 57] 국가별 시장규모 및 전망 (단위 : 백만 달러, %)

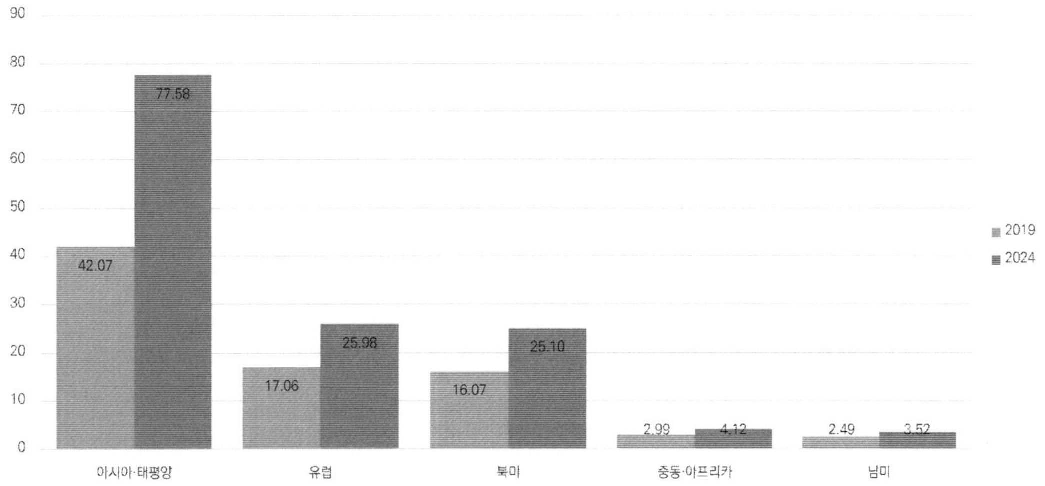

[그림 63] 글로벌 이차전지 시장의 지역별 시장 규모 및 전망 (단위: 십억 달러)

Markets and Markets의 리튬이온배터리 보고서에 의하면, 세계 리튬이온배터리 시장규모는 2017년 322억 달러에서 2019년 400억 달러로 시장이 성장했고, 이후 연평균 14.9% 성장하여 2024년 약 799억 달러의 규모를 형성할 것으로 전망된다. 2018년 기준, 세계 리튬이온배터리 시장 규모는 아시아-태평양 시장의 비중이 45.9%로 가장 크고, 다음으로 유럽 34.3%, 북미 19.8% 순이다.

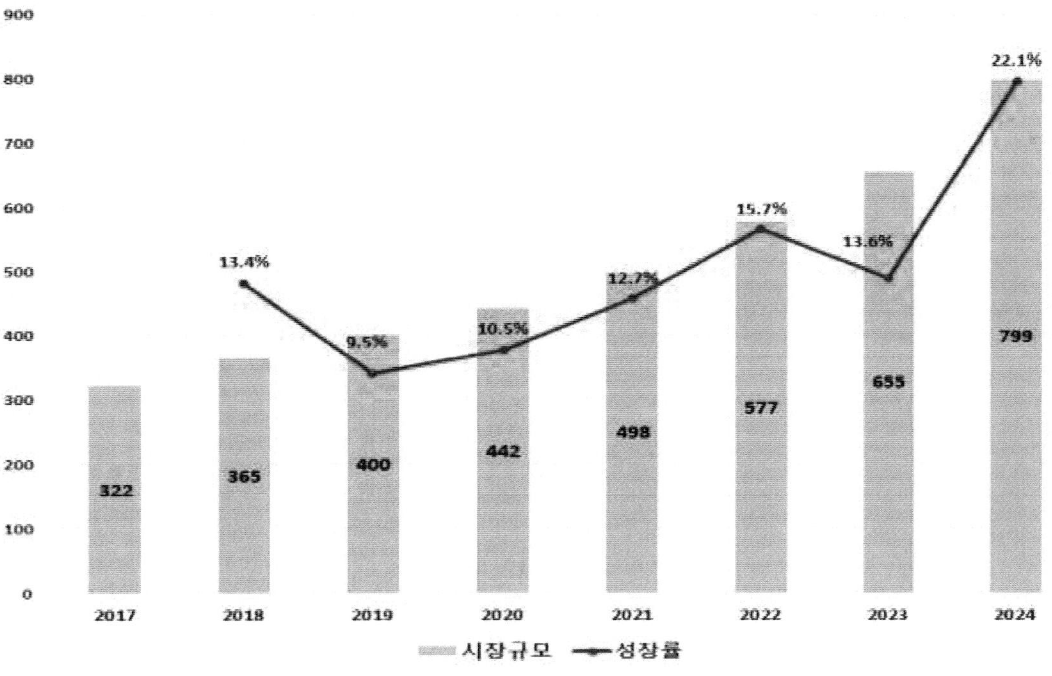

[그림 64] 세계 리튬이온배터리 시장 전망 (단위: 억 달러)

2. 국내 동향[41)]

국내 배터리 시장은 2017년 약 1조 8,214억 원에서 2024년 약 4조 6,579억 원 규모로 성장할 것으로 전망된다.

구분	2018	2019	2020	2021	2022	2023	2024	CAGR
국내 시장	20,096	23,314	25,767	29,045	33,600	38,155	46,579	14.9

[표 58] 국내 리튬이온배터리 시장 전망 (단위 : 억 원, %)

국내 주력산업 중 이차전지의 산업 전망을 살펴보면 수출증가율, 생산율, 내수증가율, 수입증가율 측면에서 전반적으로 긍정적인 결과로 분석되며 이차전지의 주요 시장인 자동차 산업의 수입도 증가될 것으로 기대되어 국내 이차전지 산업의 빠르게 회복되고 있는 것으로 판단된다.

한국경제연구원에 따르면, 향후 한·중·일간 배터리 산업 경쟁력 종합 비교에서는 한국이 가장 취약하다고 평가된다. 국내 배터리산업의 애로 요인으로는 세계 시장 경쟁이 과열되어 수익성이 악화된다는 의견(33.3%)이 가장 많았고, 다음으로 재료 수급의 안정성(30.7%)과 제도적 지원 부족(17.3%)을 지적했다.

소형 모바일·IT기기용 배터리 부문 시장 점유율에서 삼성SDI와 LG화학이 2019년 기준 선두권을 유지하고 있다. 전기차 배터리 부문에서는 자국 정부의 전폭적인 지원을 받고 있는 BYD 등 중국 배터리 기업의 부상으로 밀려난 상황이었으나 2019년 9월 LG화학이 TESLA의 전기차 배터리 공급을 시작하며 점유율을 확장해 나갈 것으로 예상된다. 한국의 이차전지 업체들은 이미 자동차용 배터리를 생산하는 과정에서 원가 및 품질 혁신을 상당 부분 진행하였고 안정된 제조 설비를 갖추고 있다. 이를 기반으로, 에너지저장장치 분야에서 수년간 전력 업체들과 배터리 실증 사업을 진행하면서 신뢰성을 확보한 강점을 바탕으로 시장 점유를 확대중이다.

이차전지 4대 소재는 국산화가 이루어졌으나, 이차전지에 비해 세계시장점유율이 낮은 등 상대적으로 발전이 미흡하다. 소재별 국내조달 비중은 양극활물질과 분리막은 높으나, 음극활물질과 전해질은 낮은 수준이다. 양극활물질과 분리막은 과거 대일 의존도가 높았으나, 2010년 이후 국내 업체들이 성장하여 현재 일본과 더불어 기술개발을 선도하고 있다. 전해질과 음극활물질은 일본과 중국으로부터 수입비중이 높고, 이차전지 생산량이 늘어날수록 해외의존도가 커지고 있다.

41) 중소기업 전략기술로드맵 2021-2023 이차전지, 중소기업벤처부

구분	2018	2019	2020	2021	2022	2023	2024
LG화학 CAPA (CAPA 증가 규모)	35 (18.5)	70 (35)	110 (40)	140 (30)	160 (20)	170 (10)	182.5 (12.5)
삼성SDI CAPA (CAPA 증가 규모)	15 (7.5)	20 (5)	30 (10)	40 (10)	50 (10)	60 (10)	70 (10)
SK이노베이션CAPA (CAPA 증가 규모)	4.7 (2.4)	4.7 (0)	19.7 (15)	40 (20.3)	60 (20)	73 (13)	86 (13)
국내3사 CAPA 증가규모	28.4	40	65	60.3	50	33	35.5

[표 59] 국내 배터리업체 설비 투자 계획 (단위:GWh)

국내 리튬이온배터리 시장은 2017년 18,214억 원 규모에서 연평균 14.9% 성장하여 2024년에는 약 46,579억 원 규모의 시장을 형성할 것으로 전망된다. 국내 '전기·수소차 보급 확산을 위한 정책방향'에 의하면, 2차전지 수요 급증과 주행거리 향상(1회 충전 주행거리 500km 목표)을 위해 2차전지 핵심기술인 에너지 밀도 향상과 초급속 대용량 충전 기술 충전기술 개발을 지원하며 글로벌 미래 시장 선점을 목표로 차세대 혁신성장 동력을 창출 중이다.

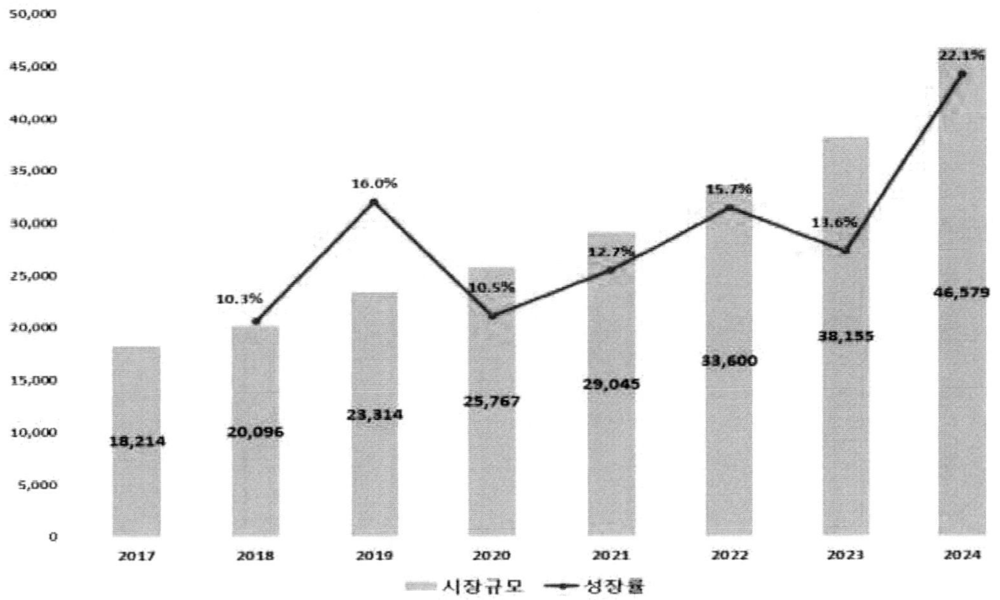

[그림 65] 국내 리튬이온배터리 시장 전망 (단위: 억 원)

포스코경영연구원의 '2025년 리튬 수급 전망' 보고서에 의하면 리튬이온배터리 수요 중 전기차의 비중이 2020년 기준 37%에서 2025년 약 56%까지 꾸준히 성장하며 전체 수요량의 절반 이상을 형성할 것으로 전망된다. 또한, 1인용 이동수단인 E-Bike와 ESS의 수요도 약 2%씩 증가할 것으로 예상된다. 반면, 소형 리튬이온배터리의 수요는 17%에서 10%로 줄어들 것으로 전망된다.

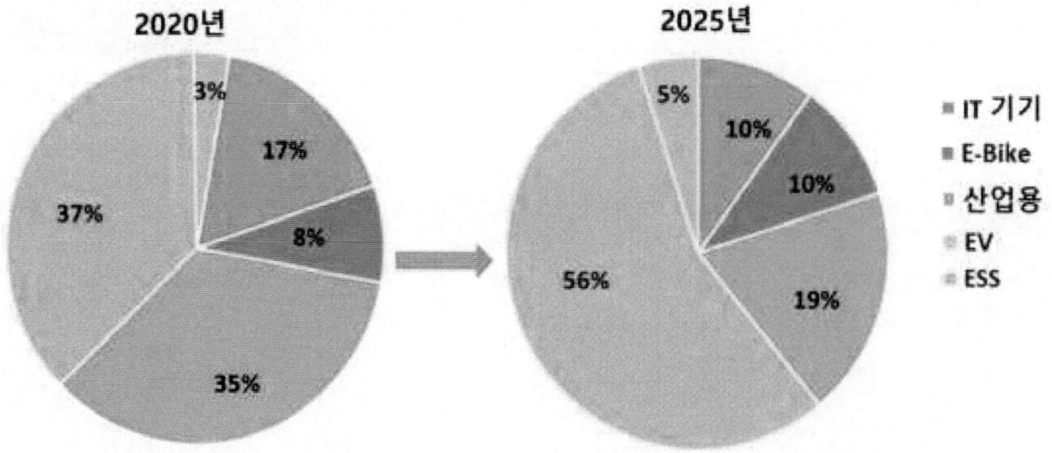

[그림 66] 세계 리튬이온배터리 수요 산업 비중 변화 (단위: 억 원)

3. 핵심부품 시장[42)]

1) 양극재

① 세계 시장

세계 리튬이온전지 양극 소재의 경우 2018년 약 65.3억 달러에서 2024년 약 118.7억 달러 규모로 성장할 것으로 전망된다. 양극재 시장은 전방산업과 밀접한 연관이 있어 전기자동차 및 에너지저장 시스템(ESS) 시장에 비례하는 시장 규모가 형성되어 있으며, 전 세계적으로 지구온난화 및 환경오염에 대처하기 위한 환경 규제 강화로 내연기관 자동차 대체를 위한 전기차 보급 확산과 에너지 시스템 확대가 진행 중에 있다. 세계 리튬이온전지의 양극 소재의 지역별 시장규모는 아시아-태평양 지역이 67.0%로 가장 높은 비중이고, 북미(15.6%), 유럽(9.3%)순으로 확인된다.

구분	2018	2019	2020	2021	2022	2023	2024	CAGR
세계 시장	6,530	7,210	7,960	8,800	9,720	10,746	11,869	13.6

[표 60] 리튬이온전지 양극재 세계 시장규모 및 전망 (단위 : 백만 달러, %)

② 국내 시장

국내 리튬이차전지 양극재 국내 시장은 2018년 약 6,440억 원에서 2024년 약 1조 1,684억 원 규모로 성장할 것으로 전망된다. 양극재 시장은 리튬이온전지의 중대화 시장 확장에 의한 전기자동차용 전지 수요 확대의 영향을 받을 것으로 추정된다. 국내 리튬이온전지 소재 제조업체는 2018년 기준 세계 3위의 점유율을 차지하고 있었으나, 2019년 일본 수출 규제로 소재 국산화 필요성에 의해 전지 소재 기업의 국내 업체(LG화학, 삼성SDI, SK이노베이션 등) 공급량은 상승 중으로 파악된다.

구분	2018	2019	2020	2021	2022	2023	2024	CAGR
국내 시장	6,440	7,110	7,850	8,666	9,568	10,578	11,684	13.6

[표 61] 리튬이온전지 양극재 국내 시장규모 및 전망 (단위 : 억 원, %)

42) 중소기업 전략기술로드맵 2021-2023 이차전지, 중소기업벤처부

2) 음극재

① 세계 시장

세계 리튬이온전지 음극재의 경우, 2018년 약 26.3억 달러에서 2024년 약 53.4억 달러 규모로 성장할 것으로 전망된다. 음극재 시장은 2016년 이후 자동차용 리튬전지 시장을 견인하며, 계속 성장하고 있다. 자동차용 리튬전지 시장에서는 현재까지 보조금 정책으로 계속 성장한 중국 시장에서 2019년부터 환경규제가 시행되고 있으며, 유럽에서는 승용차의 CO2 배출량 규제로 인하여 지속적인 확대가 예측 되고 있다.

세계 리튬이온전지의 음극 소재는 한중일 3국이 주도하고 있으며 2018년 기준 중국이 74%, 일본의 20%, 한국이 6% 순으로 확인되었다.

구분	2018	2019	2020	2021	2022	2023	2024	CAGR
세계 시장	2,627	3,226	3,743	4,121	4,492	4,897	5,338	17.0

[표 62] 리튬이온전지 음극재 세계 시장규모 및 전망 (단위 : 백만 달러, %)

② 국내 시장

국내 리튬이차전지 음극재 국내 시장은 2018년 2,591억 원에서 2024년 약 5,255억 원 규모로 성장할 것으로 전망된다. 음극재 시장은 리튬이온전지의 중대화 시장 확장에 의한 전기자동차용 전지 수요 확대의 영향을 받을 것으로 추정된다. 국내 리튬이온전지 소재 제조업체는 2018년 기준 세계 3위의 점유율을 차지하고 있었으며, 주요업체인 포스코케미컬은 18년 연산 2만 4천 톤으로 전년대비 2배로 확대되었다,

구분	2018	2019	2020	2021	2022	2023	2024	CAGR
국내 시장	2,591	3,182	3,691	4,058	4,422	4,820	5,255	17.1

[표 63] 리튬이온전지 음극재 국내 시장규모 및 전망 (단위 : 억 원, %)

3) 전해질

① 세계 시장

전해질 세계 시장은 2018년 약 10.6억 달러에서 2024년 약 45억달러로 연평균 27.3%씩 성장할 것으로 전망된다. 전해질 시장은 가파른 성장을 통해 EV/ESS용 중대형 리튬이차전지용 액체전해액 시장이 모바일 IT용 소형 리튬이차전지용 전해질 시장을 압도하여 성장할 전망이다. 이차전지 전해액 첨가제 세계시장규모는 2018년 1억달러에서 2024년 4억달러까지 연평균 25.7% 성장할 전망이다.

구분	2018	2019	2020	2021	2022	2023	2024	CAGR
전해액	1,055	1,379	1,790	2,479	3,022	3,684	4,491	27.3
전해액 첨가제	100	120	160	200	270	326	395	25.7

[표 64] 전해질 및 첨가제 세계 시장규모 및 전망 (단위 : 백만 달러, %)

시장조사업체 SNE리서치 보고에 따르면 이차전지 전해액의 시장수요는 2019년부터 오는 2025년까지 연평균 성장률이 42%에 달할 전망이다. 2019년 전세계 리튬이온 이차전지용 전해액의 수요는 총 13만 5000톤 수준이었으나, 2025년 수요는 약 109만3000톤까지 늘어날 전망이다. 소형전지용 전해액과 중대형 전지용 전해액의 비율은 2019년 약 34:66에서 2025년 6:94 수준으로 바뀔 것으로 예상된다.

② 국내 시장

국내 전해질 시장은 2018년 약 5,391억 원에서 2024년 약 8,273억 원 규모로 연평균 7.4%씩 성장할 것으로 전망된다. 전해질 시장은 가파른 성장을 통해 EV/ESS용 중대형 리튬이차전지용 액체전해액 시장이 모바일 IT용 소형 리튬이차전지용 전해질 시장을 압도하여 성장할 것으로 예상된다. 이차전지 전해액 첨가제 국내시장규모는 2018년 354억원에서 2024년 544억원까지 연평균 7.4% 성장할 전망이다.

구분	2018	2019	2020	2021	2022	2023	2024	CAGR
전해액	5,391	5,789	6,218	6,678	7,172	7,703	8,273	7.4
전해액 첨가제	354	381	408	440	483	513	544	7.4

[표 65] 전해질 및 첨가제 세계 시장규모 및 전망 (단위 : 억 원, %)

4. 연료전지 시장[43)]

2020년 90Mt 미만의 사용량을 보이는 수소 수요는 2030년에는 200Mt을 넘기고, 2050년에는 530Mt에 이를 전망이다. 따라서, 수소를 활용하는 연료전지 수요도 꾸준히 증가하여 2018년 2조 2천억원 수준의 시장이 연평균 30%씩 성장하여 2030년에는 약 50조원 규모가 될 것으로 추정된다. 국내 연료전지 시장은 연평균 21% 성장세를 보일 것으로 추정하며 2018년 2천 6백억원 규모의 시장이 2030년에는 2조 5천억원 규모가 될 전망이다.

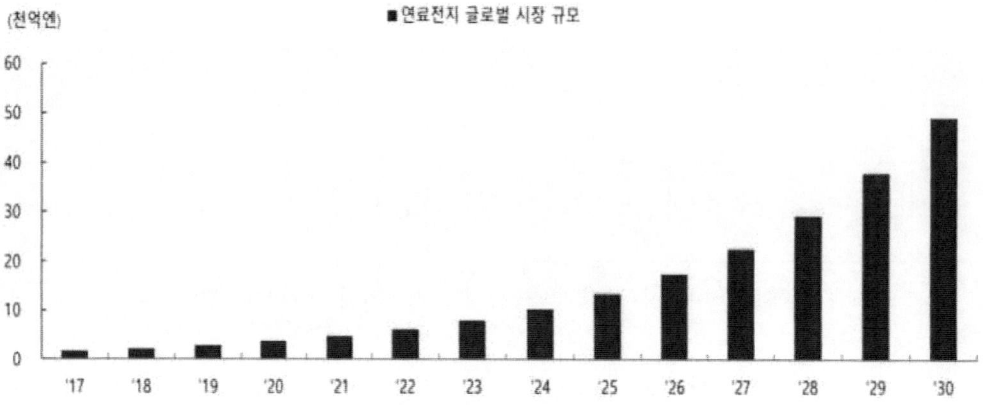

[그림 67] 연도별 연료전지 시장규모

2018년 사용량을 기준으로 전세계 연료전지 시장에서 한국, 중국, 일본 등 아시아의 비중은 약 42%를 차지하며 큰 시장을 형성하고 있다. 국가별로 진행되는 수소산업 지원 정책으로 수소시장이 커짐에 따라 민간 기업의 투자가 활성화 되는 중이며, 한국의 경우 2021년 수소산업에 SK, 포스코, 현대차, 한화, 효성에서 총 43조원 규모의 투자가 이루어졌다.

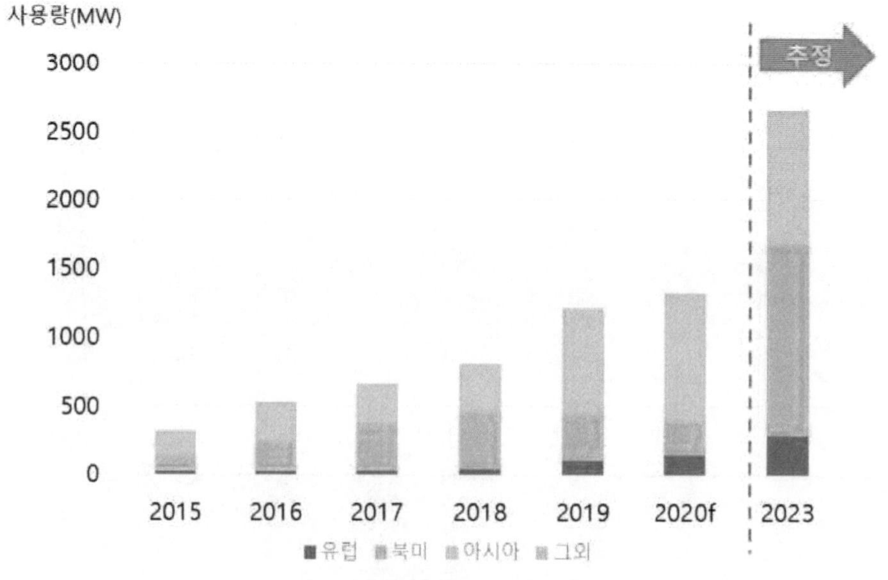

[그림 68] 권역별 연료전지 사용량

43) 연료전지 개요와 현황, 한국수출입은행, 2021.08.06

2020년 상반기 전세계 연료전지 사용량 기준으로 휴대형은 0.03%, 수송형은 75.34%, 고정형은 24.63% 비율을 차지했다. 연료전지 종류별로는 수송용으로 주로 이용되는 PEMFC의 사용량이 가장 많고 그다음으로는 발전에 많이 사용하는 SOFC, PAFC 순으로 사용량이 많았다. 향후 국가별로 발표된 정책에 따라 수소전기차와 발전용 연료전지 보급은 더 늘어날 예정이다. 이에 따라 사용량 기준으로 PEMFC, SOFC는 약 30%, PAFC는 약 20%의 성장세를 보일 것으로 추정된다.

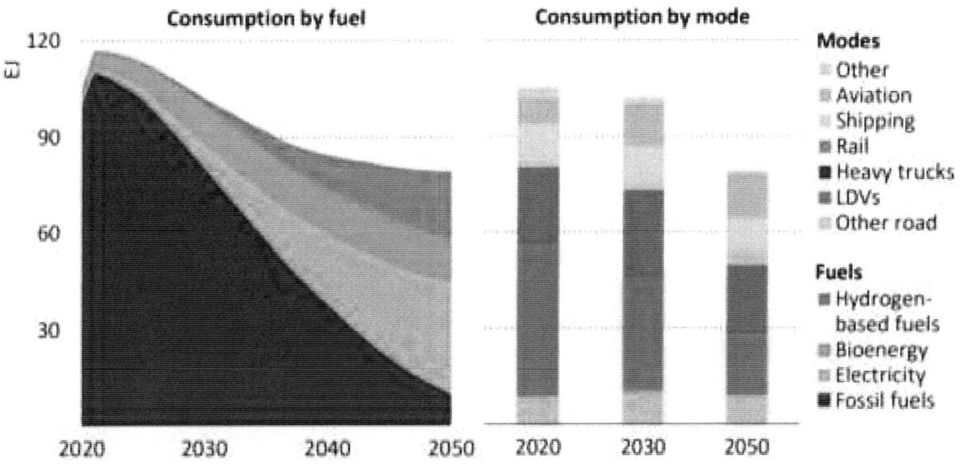

[그림 69] 전세계 연료 사용량과 사용처

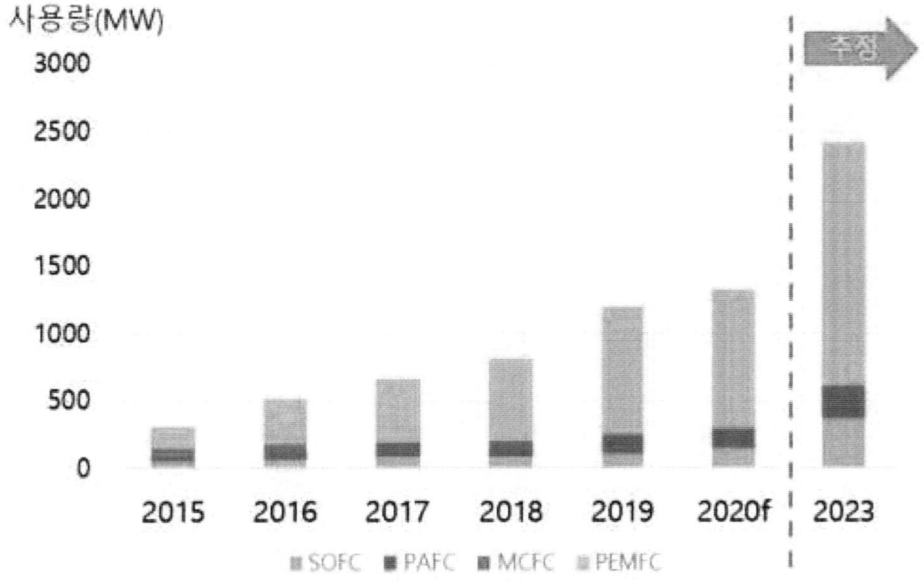

[그림 70] 연료전지 제품별 사용량

전세계 수소전기차 판매 대수는 연평균 58.6%의 빠른 성장세를 보이며 2030년에 수소전기차 시장은 100만대를 돌파하고 누적 350만대에 이를 전망이다. 2020년도에는 전세계 자동차의 90%가 화석연료에 의존하였으나, 2050년에는 자동차의 45%는 전기, 28%는 수소연료를 사용할 것으로 예상된다.

전세계 발전용 연료전지 시장은 2030년까지 연평균 25~32% 성장할 전망이다. 발전용 연료전지는 한국과 미국이 주요 시장으로 2020년 한국은 세계보급량의 약 40%를 차지하는 것으로 추정된다. 일본은 에네팜 보급정책으로 가정/건물용 연료전지에서 큰 시장을 보유하고 있다.

한국은 2년 연속 수소차 판매와 발전용 연료전지 보급 세계 1위를 달성했다. 2021년 1분기 수소전기차 판매량 기준으로 현대자동차와 토요타의 시장점유율이 97%를 넘기며 세계시장을 양분하고 있다. 2020년 현대자동차의 수소전기차는 70%를 넘는 시장점유율을 보였으나 2021년 토요타의 미라이2가 출시되면서 점유율을 역전했다. 2021년 1분기 현대자동차와 토요타의 수소전기차 시장점유율은 각각 46.2%와 51.3%였다.

중국은 수소연료전지 자동차보다 상용차(트럭, 버스) 보급에 초점을 맞추고 있다. 그러나 아직 연료전지 기술 수준이 낮고 인프라가 부족하여 수입의존도가 높다. 현대자동차는 수소연료전지 브랜드 'HTWO' 설립, 중국 광저우에 생산기지를 건립 중이며 2022년 하반기 완공을 목표로 하고 있다. 토요타와 중국 5개사는 연료전지 개발 합작회사를 설립했다.

미국에서는 대형 발전용 연료전지 SOFC에서 가장 앞서있다는 평가를 받는 블룸에너지(Bloom energy)외에도 퓨얼셀에너지(FuelCell Energy), 플러그파워(Plug Power)등 우수한 기업이 경쟁하며 성장하고 있다.

미국, 일본, 독일은 연료전지의 핵심부품 기술력이 높은 것으로 평가되고 있다. 연료전지 관련한 특허 출원 건수는 일본이 가장 많으며 일본과 미국이 전체 출원 건수의 50% 넘게 차지했다. 연료전지 종류별 국가 경쟁력은 PEMFC를 제외한 PAFC, MCFC, SOFC, DMFC에서 미국이 가장 앞서 있다.

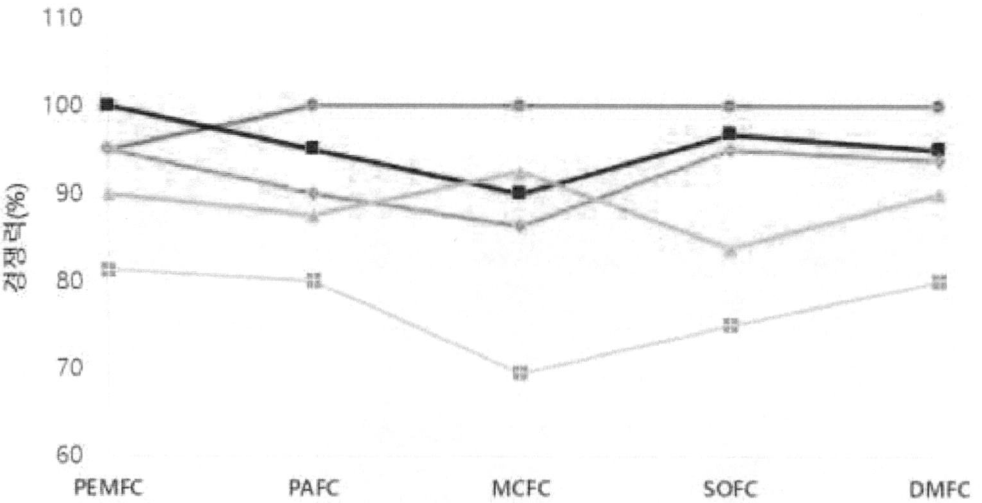

[그림 71] 국가별 연료전지 경쟁력

4. 2차 전지 기술 동향

IV 2차 전지 기술 동향[44)]

1. 해외 기술 동향[45)]

이차전지 수요 중 가장 큰 부문은 차지하는 전기자동차용 이차전지 요구 성능에 따라 에너지 밀도 향상과 가격저감을 중점으로 기술개발이 이루어졌으나, 현재 기술적 진화의 한계에 도달한 상황으로 소재의 변화를 통한 차세대 이차전지 개발이 진행되고 있다.

2025년까지는 운동 부문에서의 리튬이온전지의 경쟁력이 확고할 것으로 나타나나 점차 리튬-황 전지와 전고체 전지의 시장 침투율이 증가할 것으로 전망된다. 현재 주력제품인 리튬이온 이차전지는 에너지밀도를 무리하게 증가시키면 폭발의 위험성이 있어 미래의 애플리케이션을 모두 감당하기에는 한계점이 존재하여 기존 리튬이온전지보다 에너지밀도와 안전성이 높고, 빠른 충전과 장수명이 가능하며, 가격이 저렴한 차세대 배터리를 연구 추진되고 있다.

2030년에는 리튬-황 전지와 전고체전지의 시장 침투율은 각각 4%, 2%이며, 2035년에는 각각 8%, 12%에 이를 것으로 전망된다. 리튬이온전지는 고전압 및 고용량 성능의 차세대 리튬이온전지(Advanced LiB)로 진화하여 NCM 또는 NCA를 대체할 전망이다.

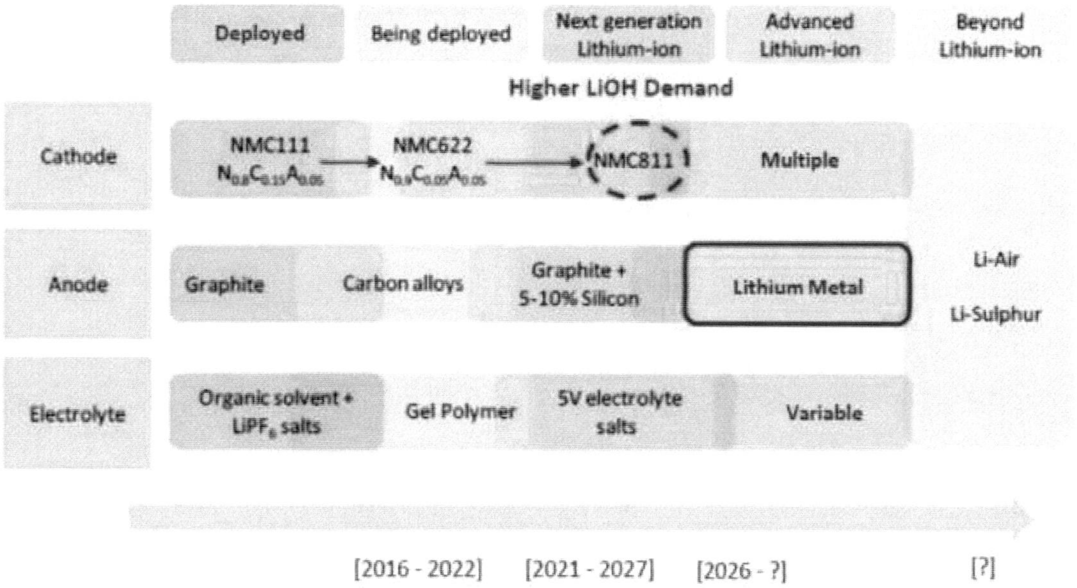

[그림 73] 이차전지 기술의 사용화 타임라인

44) 2차전지/전자부품, IBK 투자증권, 2018.11.30
45) 중소기업 전략기술로드맵 2021-2023 이차전지, 중소기업벤처부

1) 배터리 제조기술

이차전지는 모바일 IT기기에 사용되는 소형전지와 전기자동차 및 대용량 전기저장장치에 사용되는 중·대형 전지로 구분되며, 최근 전기자동차용을 중심으로 시장이 성장하고 있다. 특히, 전기자동차용 리튬이온전지는 설치장소가 한정적이어서 저장할 수 있는 에너지가 많을수록 좋기때문에 체적당 에너지 도가 더욱 중요시될 것으로 예상된다.

현재 가장 많이 사용되는 이차전지인 리튬이온전지는 같은 크기 일반전지의 두 배 수준으로 활용도가 높아 시장의 주류를 이루고 있다. 다만, 외부 충격과 온도변화에 취약한 것과 기초 소재의 가격 상승, 수급문제 등이 불안요인으로 남아있다. 기존 리튬이온전지의 성능은 양극재, 음극재의 소재 또는 조성 변경을 통해 상당히 개선되어 왔으나, 점점 성능개선의 폭과 속도가 둔화되고 있으며, 지속적인 성능개선에도 불구하고 안정성 이슈가 남아있다. 이러한 단점과 성능 한계를 극복하고 소비자들의 새로운 수요에 부합되는 방향에 맞춰서 리튬이온전지의 한계를 극복할 수 있는 차세대 전지 개발이 진행 중이다.

리튬이온전지는 형태에 따라 원통형, 각형 및 폴리머로 구분. 원통형은 주로 전동공구 등 고출력이 요구되는 기기에 적용되며, 각형과 폴리머는 휴대폰, 전기자동차 등에 주로 사용된다. 리튬이온전지는 용량 확장성, 에너지 변환효율, 친환경성으로 타 경쟁기술 대비 많은 장점을 가지고 있기에 향후에도 에너지저장 기술을 선도할 것으로 예상된다.

구분	원통형 (Cylindrical)	각형 (Prismatic)	폴리머 (Polymer)
포장재	알루미늄 캔(Al can)		적층 알루미늄 필름
특징	고용량, 고에너지 밀도 방전특성 우수(고출력)	슬림형 고에너지 밀도	초박형, 고에너지 밀도 크기 및 형태변형 가능
제작	표준형 중심	맞춤형 중심	맞춤형 중심
전지 구조	리튬이온전지(LiB)		리튬폴리머전지(LPB)
공정 특징	설비 의존도 높음		자동화 추세 중
형태			

[표 66] 리튬 이차전지 Cell 종류

2) 차세대 이차전지 기술

주류인 리튬이온전지의 에너지밀도 향상은 2020년 이후 둔화될 것으로 전망하며 새로운 기술 및 소재개발에 투자가 이뤄지고 있으며, 종래의 리튬이온전지는 차세대 리튬이온전지로 진화되는 양상을 보일 것으로 예상된다.

차세대 리튬이온전지(Advanced LiB)는 리튬이온배터리의 연장선에서 성능 향상과 원가절감을 위해 기존 소재 개선 또는 신소재를 적용한 것을 의미한다. 차세대 이차전지는 리튬이온배터리와 상이한 전지 매커니즘과 재료를 통해 획기적인 성능을 구현할 수 있는 전지를 의미한다. 차세대 이차전지 종류별 에너지밀도는 서로 다른 특성을 가지고 있다.

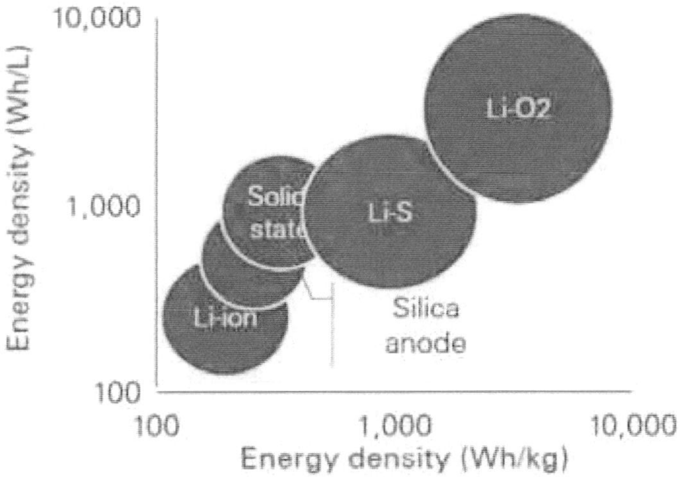

[그림 77] 차세대 이차전지의 에너지밀도 비교

음극재에 리튬메탈을 사용하는 리튬메탈전지(리튬공기전지, 리튬-황전지), 양극재를 개선시킨 전지(나트륨 이온, 마그네슘 이온 사용), 전해질을 개선시킨 전고체전지가 차세대 전지로 개발되고 있다. 이차전지 업체자료에서의 전망을 종합해보면, 리튬이온전지의 4대 소재 성능 개량으로 진화하고, 전고체전지가 차세대 주류전지로 이어가며, 리튬메탈전지, 리튬-황전지의 상용화가 시도될 것으로 예상된다. 나아가, 꿈의 전지라 불리는 리튬공기전지가 가시적 미래의 마지막 단계가 될 것으로 전망된다.

목적	기술 분야	기술 개요
고에너지	리튬황전지	• 양극재로 황, 음극재로 리튬을 이용하는 이차전지로서 리튬이온전지 3배에 해당하는 에너지밀도가 구현 가능하며, 원유 정제의 부산물인 황 폐기물을 활용할 수 있어 친환경적이고 저가화 가능
	리튬공기전지	• 양극재로 공기(산소), 음극재로 리튬을 이용하는 이차전지로서, 이론적으로는 리튬이온전지의 5~10배에 해당하는 에너지밀도를 구현 가능
안전성	전고체전지	• 액체 전해질을 고체 전해질로 대체하며 전지 구성요소 전체를 고체화한 전지로서, 기존 리튬이온전지의 발화·폭발 위험성을 현저히 낮춰 안전성의 비약적 향상이 가능
기능편의	플렉시블전지	• 플렉시블전지는 유연하고 구부릴 수 있는 전지를 총칭하는 기술 분야. 타 기술 분야가 고유의 전기화학 시스템을 대표하는 것과는 달리, 플렉시블전지는 타 기술 분야에 접목하여 기계적 유연성을 부여하는 기술로 구성됨 (예: 플렉시블 리튬황전지, 플렉시블 전고체전지 등)
제조혁신	프린터블전지	• 프린터블전지는 인쇄공정을 통해 제작하는 전지를 총칭하는 기술 분야. 타 기술 분야가 고유의 전기화학 시스템을 대표하는 것과는 달리, 프린터블전지는 타 기술 분야에 접목하여 공정을 프린팅화하기 위한 기술에 해당 (예: 프린터블 리튬이온전지, 프린터블 전고체전지 등)
자원·저가	레독스흐름전지	• 주로 바나듐 수용액을 양극과 음극 전해질로 사용하여 이들의 산화·환원 반응을 통해 충·방전하는 이차전지임 • 리튬이온전지에 비해 수명이 길고(10배 이상) 저가(3분의 1수준)로 제작 가능하나, 부피가 커 소형화가 어려우며 에너지 효율은 리튬이온전지 대비 70% 수준
	소듐이온전지	• 리튬이온 대신 소듐(Sodium)이온을 이온 캐리어로 사용하는 전지로서, 가격 및 공급 안정성에 취약한 리튬을 대체하여 저가로 전지 제작 가능
	아연공기전지	• 양극재로 공기(산소), 음극재로 아연을 이용하는 이차전지로서, 수성 전해액을 사용하기에 폭발이 없어 안전하며 저가 금속인 아연을 원재료로 하여 저가로 제조 가능

[표 67] 차세대(미래형) 전지의 목적별 분류 및 기술 개요

① 전고체 전지

리튬이온전지의 대안으로 유력한 이차전지로는 전고체 전지가 있다. 전고체 전지는 리튬이온전지의 액체 또는 고분자 겔 형태의 전해액을 전도성 고체 물질로 대체하여 에너지밀도가 향상되고 안전성이 높은 장점을 지니고 있다. 전고체 전지는 고체전해질이 이온 전도 및 분리막 역할을 하여 별도의 분리막이 없다는 특징을 가진다.

독일의 폭스바겐, BMW, 일본의 도요타, 중국의 CATL 등 주요 전기자동차 업체나 일본의 Murata, 미국의 Applied Materials 등의 제조업체들이 전고체 전지의 상용화를 위한 연구개발을 추진하고 있다. 전고체 전지 개발을 주도하고 있는 BMW는 2026년에 전고체 전지를 장착한 전기자동차 출시 목표로 개발을 진행하고 있다.

폭스바겐은 전고체 전지를 생산할 수 있는 시설을 유럽 내에 구축할 예정이며, 국내의 대표 이차전지업체인 LG화학, 삼성SDI 등도 전고체 전지를 포함하여 차세대 이차전지 개발을 추진하고 있다.

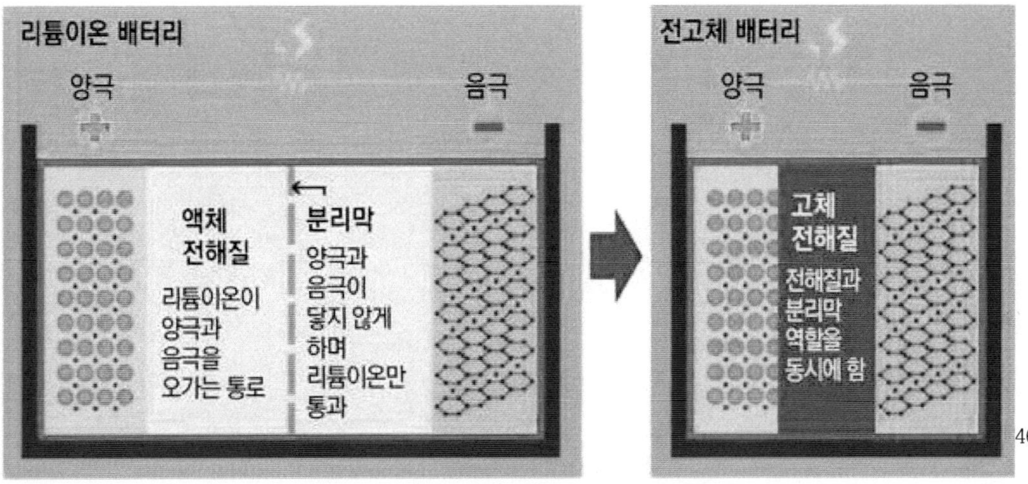

[46]

[그림 78] 리튬이온-전고체 배터리 비교

② 리튬-황전지

리튬이온전지에 비해 약 3~5배 높은 에너지밀도를 가지는 이차전지로 리튬-황전지가 있다. 리튬-황전지는 높은 에너지밀도와 저렴한 황을 사용하여 제조원가가 낮다는 장점이 있으나, 전극 사이에서 발생하는 다황화물 셔틀 메커니즘 원인으로 인하여 심각한 자가방전, 급격한 용량감쇠, 전지 수명 단축이 초래되어 상용화하기에 해결해야 할 과제가 남아있다.

국내외에서 리튬-황 전지의 셔틀효과를 개선하고 안전성향상, 고용량 구현, 황 반응속도 향상 등을 위한 연구가 진행되고 있다. 연구의 일환으로 전지의 안전성 향상을 위해 음극 표면에 보호층을 적용하는 방법 등이 진행되고 있다.

46) 삼성 SDI

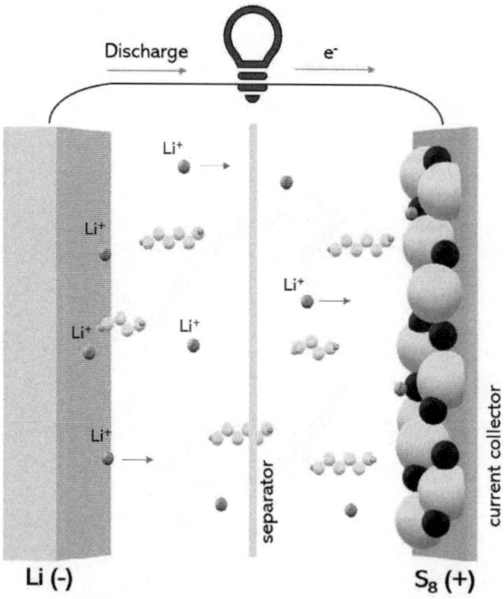

47)

[그림 79] 리튬-황 전지

③ 리튬공기전지

양극활물질로 공기(산소), 음극활물질로 리튬을 이용하여 가볍고, 친환경적이며, 에너지밀도가 높고, 안전성도 높다는 특징이 있다. 리튬공기전지는 석유와 견줄만한 높은 중량당 에너지밀도와 체적당 에너지밀도를 지니고 있어 전기자동차에서 주목하고 있는 전지로 리튬이온전지의 약 5~15배의 에너지밀도를 보인다. 리튬공기전지는 전해액의 특성에 따라, 수계, 비수계 입으로 구분되며 이들의 단점 극복을 위해 하이브리드형과 고체형도 개발 추진되고 있다. 리튬공기전지의 상용화를 위해 해결해야 할 과제로는 방전 과정에서 생성되는 불용성 반응물(Li2O2)에 의한 용량 감쇠, 낮은 수명, 리튬금속 사용에 따른 안전성 저하, 양극의 전극저항, 안정적인 전해액 개발 등이 있다.

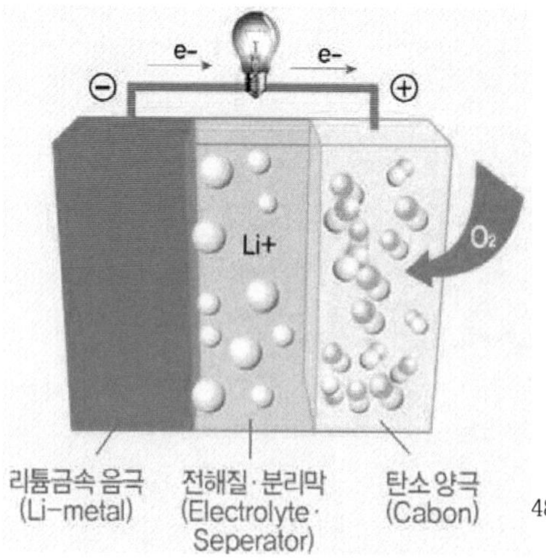

48)

[그림 80] 리튬공기전지 모식도

47) 위키피디아
48) 매일경제

④ 소듐이온전지

리튬과 유사한 물리화학적 성질을 지니는 소듐을 활용한 소듐이온전지는 최근 리튬이온전지의 양극 및 음극활물질보다 비슷하거나 상회하는 성능을 나타내는 다양한 양극 및 음극 활물질들이 소개되고 있다. 소듐은 풍부한 매장량을 보유하고 있으며 소듐이온전지를 차세대 대용량 전지로 활용하려는 노력이 집중되고 있다. 또한, 리튬-황전지와 리튬공기전지에서 리튬 이용에 따른 가격과 원자재 확보 문제가 있어 소듐이온전지에 대한 관심도 증가하고 있다. 소듐이온의 안전적인 저장을 위해 음극활물질로 다양한 물질들이 연구개발 되고 있으며 최근에는 층간삽입반응 소재[49]의 낮은 용량 문제와 합금반응 소재의 부피팽창에 따른 낮은 구조적 안정성을 보완하는 금속 산화물계 소재가 쓰이고 있다.

구분	특성 및 핵심기술	개발기관	
		국외	국내
전고체 전지	• 고에너지밀도, 고출력밀도, 장수명, 제조공정 단순화, 대형화, 저가화, 안전화 가능 • 계면저항 및 분극저항감소, 고이온전도 전해질 기술	도요타(일), Hitachi(일), 무라타제작소(일), 소니(일), 이데미츠(일), Planar Energy(미), 동경공대(일),교토대(일)	현대자동차, LG화학, 삼성SDI, GS칼텍스, 정관로케트전지, ETRI, 서울대, 생기연, KIST, UNIST, KICET
금속공기 전지	• 전극 고용량·고에너지밀도화, 전도도 향상 • 충전과 전압감소로 충전성능 개선, 전해질 수명, 계면저항 감소, Li 부피팽창제어, 부반응 억제기술 • 이론값 수계 1,920Wh/kg, 비수계 1,440Wh/kg	IBM(미), 도요타(일), 미쓰비시(일),도시바(일), Arotech(이스라엘), 켐테크(독), AIST(일), 규슈대(일)	현대자동차, 삼성전자, 에기연, KIST, KERI, KEIT, 화학연, 자부연, KAIST
리튬황 전지	• 고에너지밀도, 저가, ~Poly S 용출 억제 • Li metal 안정성, 전극 성능, 장수명 확보, 대용량화 기술 • 현재수준 900mAh/g, 충·방전 가능 셀 제작	SION Power(미), 미테이론(일), 캠브리대(영), 북경대(중), 워털루대(캐)	현대자동차, LG화학, SK, KERI, KAIST, 화학연, KETI, 자부연, 동아대, 연세대
Na이온 전지	• 리튬이온전지 대비 90% 저가, 낮은 작동 온도(57~190℃, Na-xMxO2 57℃) • 현재수준 에너지밀도, 작동전압, 안전성 등이	Yuasa(일), 스미토모전기(일), 교토대(일), Pacific Northwest(미)	SK 이노베이션, 일진, KIST, 경상대, 서울대

[표 68] 차세대 이차전지 개발 기관

49) 층간삽입반응은 결정구조인 전극소재 내부로 이온들이 삽입 및 탈리되는 반응으로 기존에는 비흑연계 탄소 소재인 하드카본, 흑연계 탄소 물질, 티타늄계 기반 산화물이 쓰임

2. 국내 기술 동향[50)]

1) 배터리 산업

배터리는 4대 소재인 양극활물질, 음극활물질, 분리막 및 전해질로 구성되며, 소재분야는 배터리 제조기술에 비해 소재별 국내 기술발전이 미흡하다. 양극활물질과 분리막은 국산화를 완료하고 일본과 더불어 기술개발을 선도하고 있으며, 증설투자가 활발하나, 음극활물질과 전해질은 일본과 중국으로부터 수입 비중이 높은 상황이다. 현재 이차전지의 안전성을 높이고 용량을 확대하기 위해 4대 소재별로 다양한 개발이 이루어지고 있다.

전고체 전지, 리튬 공기전지 등 차세대 전지가 개발되고 있으나, 상용화까지는 상당한 기간이 걸릴 것으로 전망된다. 국내 이차전지산업이 지속적으로 발전하기 위해서는 소재분야 및 국내 밸류체인을 강화하여야 하며, 국가 간 경쟁이 치열한 상황에서 경쟁력 확보 노력이 필요하다.

배터리 성능은 시간이 갈수록 개선되고 있으며, 특히 대다수 전기차에 탑재된 배터리에 사용되는 NCM(니켈·코발트·망간) 양극활물질의 경우 니켈 함유량을 늘리고 있다. 니켈 비중이 늘어나면서 에너지밀도를 높일 수 있고, 상대적으로 코발트 비중이 줄면서 원가도 낮출 수 있기 때문이다. 과거 니켈 코발트, 망간 비중은 1:1:1 → 6:2:2 → 최근 8:1:1까지 개선된 것으로 분석된다.

전기차 시장의 성장으로 '더 오래가는 전지' 주행거리 500km 이상 배터리 개발이 활발히 이루어지고 있다. 국내 배터리 3사 모두 3세대 전기차 배터리 기술 고도화를 위한 연구개발 진행하고 있다. 삼성SDI는 '2019 디트로이트 모터쇼(NAIAS 2019)'에서 600km 주행이 가능한 배터리 셀과 37Ah에서 78Ah까지 EV, PHEV에 적용할 수 있는 다양한 세대별 배터리 셀라인업을 구축했다. LG화학은 2018년 GM 볼트와 현대 코나 등의 전기차에 300~400km 용량의 배터리를 공급하고 있으며, 2019년 판매되는 3세대 전기차에는 평균 500km 이상의 배터리를 공급했다.

2018년 11월 국내 배터리 업체인 LG화학, 삼성SDI, SK이노베이션은 차세대 전지기술 개발을 위해 공동 연구개발을 추진했다. 산업통상자원부는 배터리 제조업체와 함께 전고체전지, 리튬황전지, 리튬금속전지 기술 개발 및 이에 사용되는 소재개발을 지원할 방침이다.

양극의 경우 기존 50~60% 니켈함량을 80% 이상으로 높이는 등 고전압용 양극재를 개발해 에너지양을 증가시키고, 음극의 경우 실리콘-탄소소재의 복합 음극활물질을 개발하려고 움직임이 있다. 전해질은 음극과의 호환성 향상을 위한 안정된 첨가제를 연구할 계획이며, 분리막은 출력향상과 안정성을 높이기 위해 세라믹이 얇게 코팅된 세라믹코팅 분리막 기술을 개발하는 방향으로 진행할 전망이다.

---

50) 중소기업 전략기술로드맵 2021-2023 이차전지, 중소기업벤처부

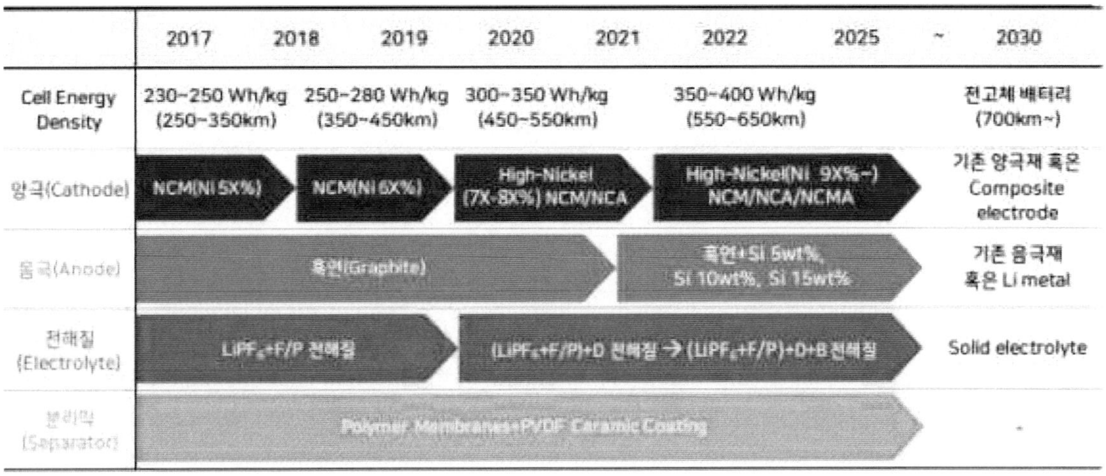

[그림 81] 주요 이차전지 업체들의 4대소재별 기술개발 주요내용

3. 2차 리튬이온전지[51)]

1) 핵심 요소기술

리튬이온전지는 크게 충·방전 전압이 높은 양극(cathode), 충·방전 전압이 낮은 음극(anode), 리튬 이온의 이동 매개체인 전해질(electrolyte) 그리고 전기적 단락을 방지하는 분리막(separator), 4가지의 구성요소로 구성되며 절연층(insulator), 도전재(conductor) 등이 추가되어 셀(cell)을 구성한다.

① 기본 구동 방식

리튬이온전지는 양극과 음극 소재의 산화·환원 반응(oxidation-reduction reaction)으로 인해 화학 에너지를 전기 에너지로 변환시킨다. 해당 반응은 반응물의 전자 이동으로 일어나는 반응이며, 전자를 잃은 경우, 산화, 전자를 얻은 경우, 환원이라 표현한다. 해당 과정에서 리튬 이온과 분리된 전자가 도선을 따라 양극과 음극 사이를 움직이며 전자가 발생한다. 방전 과정 시, 리튬 이온이 음극에서 양극으로 이동하며, 충전의 경우에는 리튬 이온이 양극에서 음극으로 이동하는 원리로 작동한다. 양극과 음극은 전하를 제공 및 저장하는 요소이기에, 중요도가 높은 부품이다.

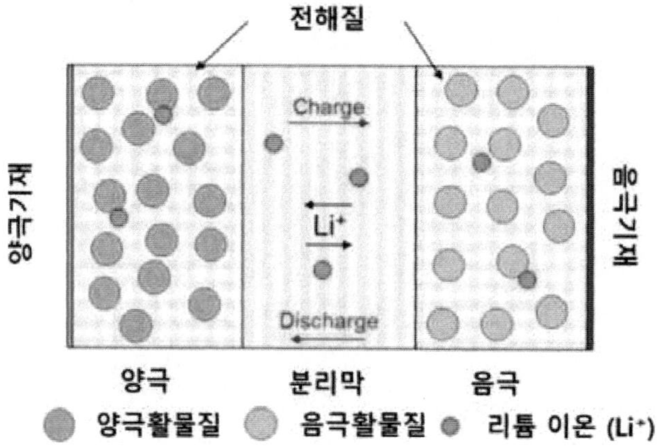

[그림 82] 리튬이온전지 구동 방식

구분	용도	특성	작동 전압	에너지
소형	IT제품	• 소형화 및 경량화 • 장시간 연속 사용	3.6~3.8V	930~4,452mAh
중대형	전기차(EV)	• 고출력 요구 • 15년 이상 수명 요구 • 모듈 및 팩 구성으로 사용처별 용량 조절	380~400V	60~94Ah
	에너지 저장장치 (ESS)		70.4~91.3V	7.6~9.0kWh

[표 69] 리튬이온전지 용도별 특징

51) 리튬이온배터리, 한국IR협의회, 2020.08.06

② 양극 소재

리튬은 원소 상태에서 반응이 불안정하기에 리튬과 산소가 만나 생성된 리튬산화물($Li^{+}O$)이 양극으로 구성된다. 양극은 배터리의 수명, 용량, 출력량을 결정짓는 물질이며 제조 단가의 30% 이상을 차지하는 물질이다. 따라서, 성능향상을 위해 가격 경쟁력과 고에너지 밀도를 보유한 고성능 소재 개발이 중요하다. 양극 재료는 크게 LCO(리튬코발트산화물, $LiCoO_2$), LFP(리튬인산철산화물, $LiFePO_4$), LMO(리튬망간산화물, $LiMn_2O_4$), 그리고 삼원계(니켈코발트망간 (NCM), 니켈코발트알루미늄(NCA) 등)로 구분된다. 소형 배터리의 양극 소재로는 충전 및 합성이 유리한 LCO가 사용되고, 중대형에는 순간 출력과 수명이 우수한 NCA와 NCM이 사용된다.

LCO는 층상형 결정구조를 보유한 물질로, 높은 에너지 출력으로 인해 대표적인 리튬이온 배터리의 소재다. 하지만, 코발트 원료는 대부분 중국 내몽고지역에 있어 원자재 수급이 어려워 현재 폐전지에서 코발트를 추출하는 재활용 연구가 활발히 진행 중이다. LFP는 희소금속인 코발트 대비 값이 저렴한 철로 구성되었으나 비슷한 성능을 보인다. 해당 소재는 충전 시, 이온 확산 속도가 느린 단점을 보유하고 있으나, 입자를 나노 크기로 생성하여 표면적 증가를 통해 확산 속도 문제를 보완할 수 있다. 다만, 해당 공정은 공정비용을 상승시킨다. 하지만, LFP는 층상구조가 아닌 올리빈(olivine) 구조로, 구조적 안정성이 우수해 높은 수명을 가진다. LMO의 경우, LCO 대비 가격이 저렴하나, 열화학적으로 불안정한 단점이 있다.

삼원계 소재는 니켈과 코발트 소재에 일반적으로 망간 혹은 알루미늄을 추가해 합성하여 사용한다. 고도의 기술력이 요구되는 삼원계 배터리의 주요 생산업체는 LG화학과 삼성SDI다. 해당 업체들은 순간적으로 강한 에너지를 분출하는 니켈의 불안정성을 해결하기 위해 안정성 관련 추가 연구를 진행 중이며, 코발트 사용량을 줄여 원가경쟁력을 확보하고 있다.

③ 음극 소재

음극은 양극에서 오는 리튬 이온을 흡수 및 방출하며 회로를 통해 전류가 흐르게 하는 역할을 수행한다. 음극은 대체로 낮은 전자 화학 반응성, 구조적 안정성 및 낮은 가격을 보유한 흑연(Graphite)이 사용된다. 흑연은 탄소가 결합한 층이 여러 겹 쌓인 규칙적인 구조를 가지며, 충전 과정을 통해 음극에 도달한 리튬 이온은 탄소층 사이에 저장된다. 반복적인 충전에 의한 흑연의 부피 변화는 구조 변형을 초래한다. 이는 수명 감소 요인으로 작용하기 때문에, 배터리 내부 분자의 구조적 특성을 고려한 제품이 개발되고 있다.

저결정성 탄소계는 결정구조가 불안정하여 수명이 짧으나, 리튬 이온 출입 속도가 빨라 고속 방전에 용이한 소재다. 또한, 흑연 대비 에너지 밀도가 질량 대비 약 10배로 높은 에너지 밀도를 보유한 실리콘(Si)도 차세대 음극 소재로 주목받고 있다.

분류	특성	용도	결정구조 및 입자 형상
LCO ($LiCoO_2$)	• 긴 수명 • 높은 에너지 밀도 • 코발트 가격 및 안정성 문제	소형 전자 기기 (스마트폰, 태블릿 등)	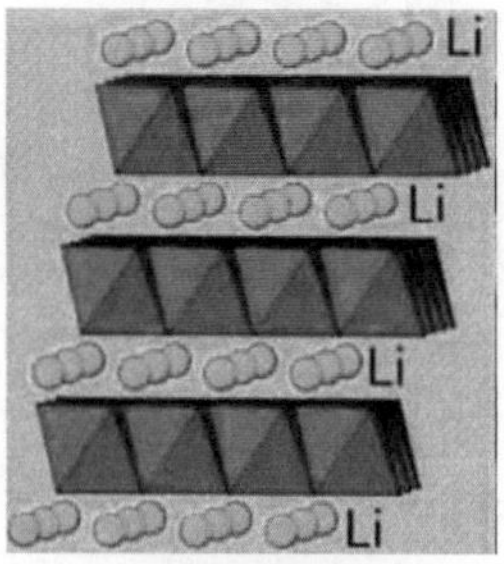
NCM ($Li[Ni,Co,Mn]O_2$) NCA ($Li(Ni,Co,Al)O_2$	• 높은 에너지 밀도 • 고출력 적합 • 전기차용 확대 중 • 층상구조	소형 및 중대형 기기 (스마트폰, 전기차, ESS 등)	층상구조
LFP ($LiFePO_4$)	• 낮은 가격 • 높은 안정성 • 성능 개선 필요	소형 및 중대형 기기 (스마트폰, 전기차 등)	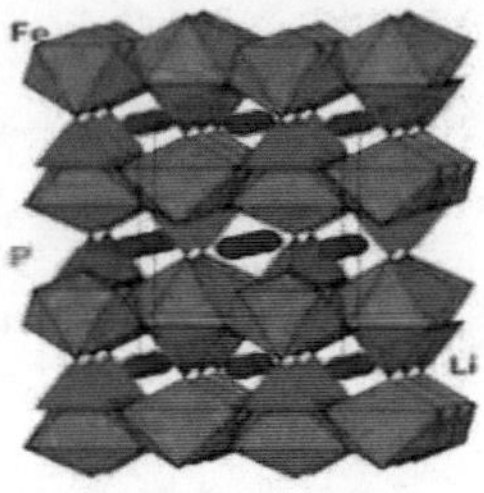 올리빈 구조
LMO ($LiMn_2O_4$)	• 높은 충·방전 특성 • 낮은 가격 • 고온 작동 불안정	소형 및 중대형 기기 (전동 공구, 전기차)	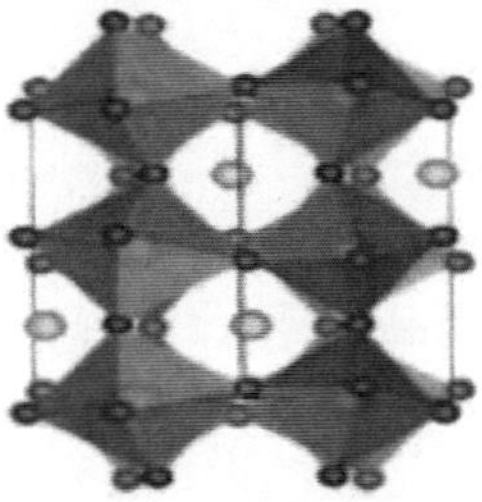 스피넬 구조

[표 70] 주요 양극 소재의 특성

분류	특성	용량	구조
흑연계 (인조흑연 및 천연흑연)	• 높은 안정성 • 높은 수명 • 가격 문제로 천연 및 인조흑연 혼합 사용 추세	인조흑연: 280~360mAh/g 천연흑연: 360~370mAh/g	
비경질 탄소계	• 높은 출력 • 짧은 수명 • 고속 방전에 유리한 특성	235~350mAh/g	
금속 (실리콘, 주석 등)	• 낮은 안정성 • 짧은 수명 • 고용량 배터리에 적합	700~1,000mAh/g	

[표 71] 주요 음극 소재의 특성

④ 전해질

배터리 내에서 전자는 도선을 통해 이동하며, 리튬 이온은 전해액을 통해 이동하는 특성을 보인다. 따라서, 전해질은 전자 이온을 수송하기 위해, 낮은 화학적 반응성과 높은 이온 전도도(ion conductivity)가 요구된다. 전해질은 유기용매로 구성된 액체 전해질, 젤 고분자 전해질, 이온성 액체 전해질 등으로 구분된다.

대표적인 전해질은 고안정성 유기 용제에 리튬 염($LiPF_6$, $LiClO_4$, $LiBF_3$ 등)을 용해한 액체 전해질이다. 액체 전해질은 높은 이온 전도성 및 우수한 저온 특성이 있으나, 온도 제약이. 있는 단점이 있어 고온 안정성이 뛰어난 전고체 전해질로 교체되고 있다.

⑤ 분리막

분리막은 양극과 음극을 물리적으로 분리하는 안정성 요소이며, 전해질이 함침될 수 있는 역할을 한다. 배터리 내에서 양극과 음극이 직접 접촉 시, 도선을 통해 전류가 흐르지 않거나, 반응에 의한 화재에 대한 위험이 있다. 따라서, 분리막은 전해질과 반응성이 없고, 이온 통과가 가능한 수십 나노미터 크기의 미세 기공(pore)을 보유해야 한다.

대표적인 분리막 소재로는 PE(Polyethylene) 혹은 PP(Polypropylene) 등의 고분자 수지가 사용된다. 주로 30~60%의 다공도와 10~20μm 두께의 소재가 사용되며, 공정에 따라 습식법(wet process)을 사용한 습식막과 건식법(dry process)을 사용한 건식막으로 구분된다.

건식막은 물리적으로 소재를 늘리는 연신(elongation) 공정과 열처리를 통해 생성된 층을 가진다. 건식 공정은 유해물질 사용이 없고 초기 투자비용이 저렴해 주로 전기차용 배터리에 사용된다. 반면, 습식막은 압출 및 화학처리를 통해 생성된다. 습식막은 간편한 공정과 균일한 기공을 보유해 소형 전자기기의 배터리에 사용된다. 강화 복합막은 세라믹 입자층을 형성해 생성되며, 분리막의 열적 및 기계적 특성 강화가 가능해 안정성이 증가된다.

분류	공정 과정 및 소재	특성	두께 (μm)	구조
건식막	• 저온에서 압축 필름의 연신 과정을 통해 계면 균열 발생 • PE **중대형 배터리**	• 낮은 가격 • 유해물질 미사용	10~25	
습식막	• 분리막 형성 공성 시 첨가한 가소제 추출 과정에서 발생한 기공을 연신함 • PE, PP, PP/PE/PP **소형 배터리**	• 건식 대비 우수한 탄성, 두께, 기공 크기 균일성 보유	10~25	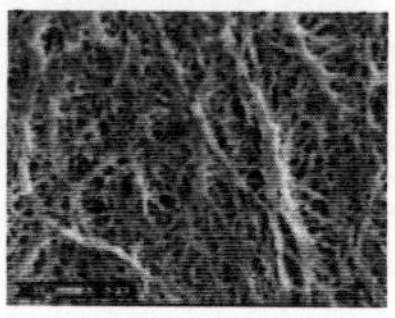

[표 72] 분리막 종류와 특성

배터리는 셀(cell), 모듈(module), 팩(pack)으로 구성되어 용량 조절이 가능하다. 셀은 배터리의 최소단위이자 성능을 좌우하는 단위로, 단위 부피당 높은 용량이 요구된다. 셀을 외부 충격 및 열로부터 보호하기 위해 일정한 개수로 묶어 프레임에 넣어 구성된 조립체가 모듈이다. 최종적으로 모듈에 배터리 관리시스템, 냉각 장치 등 제어장치를 장착하여 일체화된 팩이 구성되고, 조합 변경이 다양하게 가능해 모듈 및 팩의 설계도 경쟁 요소로 작용한다.

2) 개발 트렌드

① 차세대 리튬 대체 소재 개발 및 음극 정제 단가 확보

리튬이온배터리의 핵심소재인 리튬(Li), 코발트(Co), 니켈(Ni) 등의 광물자원 가격이 급등하여 원가경쟁력이 낮아지고 소재의 공급처가 한정되어 있어, 신규 소재의 개발이 요구되고 있다.

① 양극 소재 - 망간 및 나트륨 기반 전극 개발

원자력, 화력 등을 통해 생성된 전기를 저장 후 필요할 때 사용이 가능한 장치인 ESS는 최소 20Ah의 배터리 용량이 필요해, 리튬이온배터리 외의 배터리는 낮은 용량으로 인해 제품 적용이 어렵다.

한국전력은 리튬 소재의 안정성과 고비용을 해결하고자 망간(Mn)을 차세대 배터리 소재로 적용했다. 망간은 지구에서 12번째로 풍부한 원소로, 소재 비용이 저렴하나, 2차전지로 적용 시, 용량이 1Ah 수준으로, 다양한 산업에서의 사용이 어려웠던 전극 소재다. 한국전력은 망간과 기존 인화성 유기물 전해질을 비인화성 수용액 기반의 전해질을 변경하여, 20Ah 용량의 망간 배터리를 개발했다. 이는 기존 리튬이온배터리 가격의 절반 가격으로 제조되어 연간 2,500억 원의 비용 절감이 가능할 것으로 예상되어 향후 망간 소재 수요 확대가 기대된다.

광주과학기술원(GIST) 연구진은 나트륨(Na) 기반 배터리의 고용량화에 성공한 것으로 확인되었다. 나트륨은 수급이 쉬운 재료이며, 리튬과 화학 특성이 비슷해 차세대 소재로 주목받는 소재이다. 하지만, 리튬 대비 3배 무거운 질량으로 인해 소형화의 어려움, 에너지 변환 효율, 용량 등의 문제가 존재한다. 연구진은 불산인산바나듐나트륨(Na3V2(PO4)2F3)을 전극 소재로 적용하여, 기존 나트륨 배터리 대비 2배 용량의 배터리 개발에 성공했다. 해당 물질은 전기 저항이 높은 단점이 있었으나, 물에 녹이는 용액 공정을 개발하여 적용하였다. 연구진은 용액 공정을 통해, 나트륨 소재의 크기를 수백 나노미터로 제어하며 그래핀(graphene) 표면에 균일하게 분포해 전기 저항 감소에 성공했다. 이는, 저가인 나트륨을 이용한 고용량 배터리 설계법으로 전극 소재에 대한 해외 의존도를 낮출 수 있을 것으로 예상된다.

② 음극재 - 흑연정제

흑연은 채굴 시 70~80%의 순도를 보유한 물질이며, 시장조사 업체 SNE Research에 의하면, 전 세계에 약 7,100만 톤 중 77%가 중국에 매장되어 있는 것으로 파악되었다. 이로 인해, 중국이 전 세계 음극 시장의 65% 비중을 차지했고, 일본이 30%로, 음극 소재 원재료 확보가 시급하다.

한국지질자원연구원의 광물자원연구본부 자원활용연구센터 연구진은 리튬이온배터리 음극소재인 흑연을 유해물질 없이 친환경적으로 정제하는 신규 공정을 개발했다. 흑연은 불순물을 다량 포함해, 불산 등 유독물질이 필요한 습식제련법이 상업적으로 사용되나, 폐수 발생과 후처리 비용이 많이 드는 문제가 있다. 반면, 염소가스를 사용하는 건식제련법은 정제

시, 2,700도의 온도를 요구해 에너지 문제 및 위험성이 존재한다.

해당 연구진은 염산 침출, 킬레이트 침출, 저온소다 배소 공정을 이용한 습식제련법으로, 반응 시간, 온도, 시약의 양 등의 조절을 통해 순도 99.99%의 고순도 흑연을 확보하며 친환경적이며 효율적인 기술을 개발하여 에너지 원료에 효과적 적용이 가능할 수 있을 것으로 판단된다.

형태	기술 동향	기대효과
망간전지	• 망간 기반 양극 및 비인화성 전해질 이용, 20Ah급 2차전지 개발	• 안전성 증가 • 원가 비용 감소 - 연 2,500억 원
나트륨 전지	• 용액 공정 기반 나트륨 양극 도포 기술 확보	• 기존 나트륨 배터리 대비 2배 용량 • 고용량 전지 설계 가능
흑연정제	• 유독물질 미포함 습식제련법을 이용해 99.99% 순도의 흑연 확보	• 친환경적 • 원가 경쟁력 확보 가능

[표 73] 신규 양극재와 음극재 기술 개발 동향

② 안전성이 향상된 고순도 이온전도도 고체 전해질 개발

전해질은 가연성 액체로 구성되어, 과열 및 과충전 시, 팽창으로 인해 폭발 위험이 존재하여 안정성 향상을 위해 고체 전해질에 대한 연구가 진행 중이다. 고체 전해질은 분리막 역할이 가능해 별도의 분리막이 필요없어 배터리의 소형화와 형태 변형이 유연한 장점이 있다.

한국생산기술연구원은 산화물계 고체 전해질인 LLZO($Li_7La_3Zr_2O_{12}$)를 이용해 고강도 복합 고체 전해질 시트 제조에 성공했다. 연구진은 소재의 나노 입자화에 성공해, 안정성은 향상 및 생산 공정 단가 절감이 가능한 차세대 고체 전해질의 상용화에 기여했다.

삼성종합기술원은 전지 음극에 5μm 두께의 은/탄소 나노입자 복합 층을 적용한 신규 전고체(all solid-state battery) 리튬 음극 기술을 통해 전지 수명 증가와 음극 두께 조절에 성공했다. 음극 두께가 얇아지면, 배터리의 소형화가 가능하며, 에너지 밀도가 증가해 배터리 시장의 신성장동력으로 작용할 것으로 예상된다. 리튬이온배터리는 크게 충·방전 전압이 높은 양극(cathode), 충·방전 전압이 낮은 음극 (anode), 리튬 이온의 이동 매개체인 전해질(electrolyte) 그리고 전기적 단락을 방지하는 분리막(separator), 4가지의 구성요소로 구성되며, 절연층(insulator), 도전재 (conductor) 등이 추가되어 셀(cell)을 구성한다.

4. 핵심 부품 기술 동향

1) 양극재

① 하이니켈(High Nickel)기술

양극재 내 니켈 비중을 높일수록 에너지밀도는 증가하지만 안전성과 수명은 취약해지게 된다. 이를 최소화하는 것이 양극재 업체들이 풀어야 할 과제이자 기술적 진입 장벽으로 손꼽힌다. 니켈함량에 따라 532(Ni 50%, Co 30%, Mn 20%), 622(Ni 60%, Co 20%, Mn 20%), 811(Ni 80%, Co 10%, Mn 10%)로 구분할 수 있는데, 2018년 기준 리튬이온배터리 양극재는 LFP, NCM622, NCM523, NCA 등이 전체 시장의 78%를 차지했고 2020년초부터는 Nickel 함량 70~80% 이상의 NMC과 Nickel 함량이 90% 이상인 NCA+급과 Nickel 함량 90%이상인 Gen4급이 양산될 가능성이 높다. 신규 소재가 완성차 양산에 적용되기까지 적어도 3~5 년 이상의 시간이 소요되고, 적용된 이후에는 5~7년 이상 수요가 유지되므로 2020년 초에 Nickel 함량 80% 이상의 양극재가 시장을 대표하는 제품이 되면 2025년 이후까지 수요가 유지될 가능성이 높다.

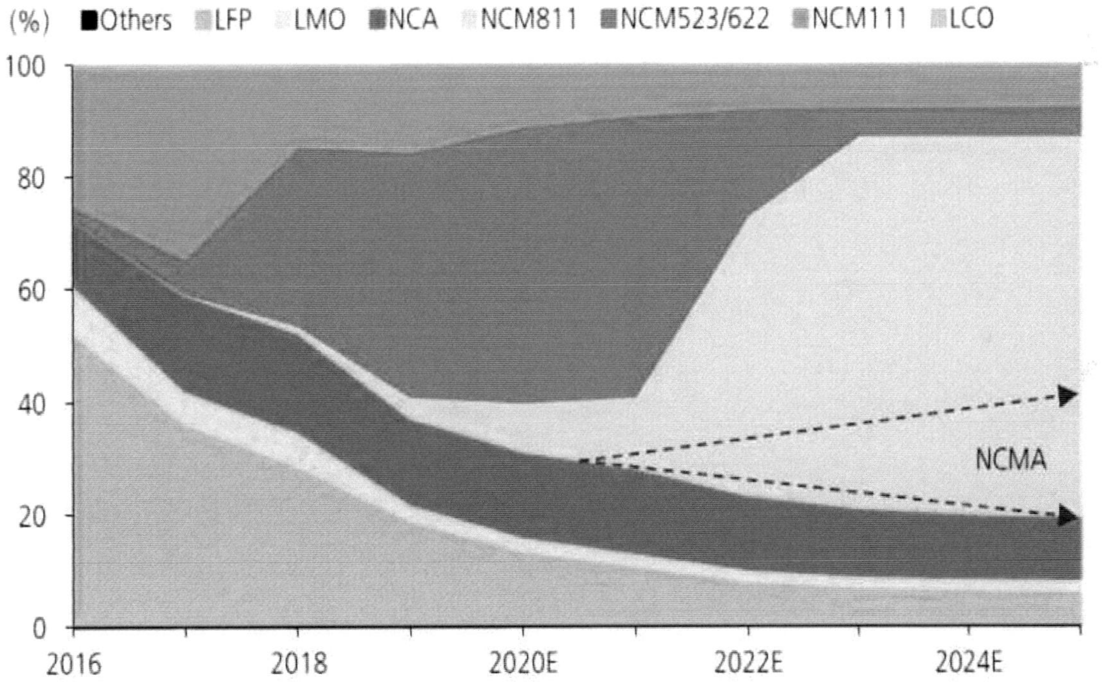

[그림 91] 하이니켈 양극재 수요 전망

② 단결정화 기술

배터리 업체들은 2017년부터 양극소재 제조업체들이 단결정 개발에 주력할 수 있도록 지원하여, 단결정 양극 분말에 대한 다양한 방향으로의 연구개발이 진행 중이다. 다결정 양극 분말은 알루미늄 극판 위에 양극 소재 분말을 코팅한 후 압연(press)하는 과정에서 부서지며 부반응을 일으키는 문제점이 존재하나, 단결정 분말은 부서지지 않아 부반응을 일으키지 않는다는 장점이 있다.

또한, 에너지밀도를 극대화하기 위해서는 압연의 세기도 강해져야 하는데 다결정 양극 분말로는 한계가 존재한다. 단결정 분말은 부서지는 잔해물들이 없어 수세공정(Washing)을 거칠 필요가 없으므로, 다결정 분말 대신 단결정 분말을 채택하게 되면, 가공비 절감, 수율 개선, 에너지밀도 증가하는 장점이 있다. 향후 전고체전지에서도 단결정 양극 분말 사용하는 것이 더욱 유리할 전망이다.

구분	LCO	NCM811/NCA	NCM/NCA
형상	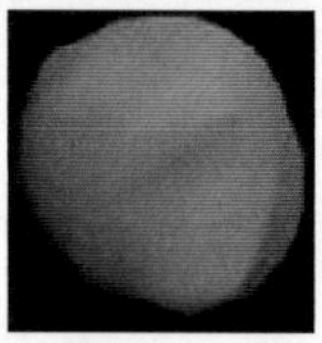	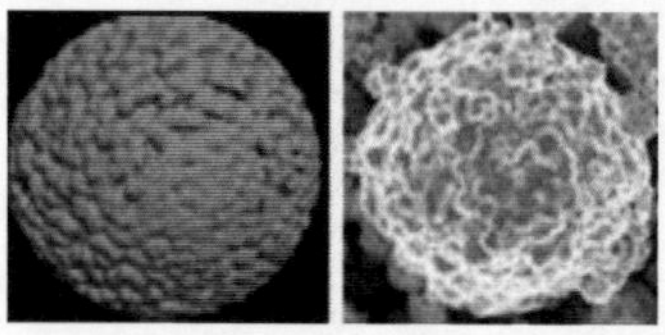	
구조	단결정 구조	다결정 구조	단결정 구조
밀도	극판밀도 < 4.0g/cc	극판밀도 < 3.3g/cc	극판밀도 < 3.6g/cc
용량	전극부피당 용량 < 640 mAh/cc	전극부피당 용량 < 660 mAh/cc	전극부피당 용량 < 780 mAh/cc
수세/세척공정 여부	X	O	X

[표 74] 단결정 구조와 다결정 구조의 차이 비교

③ 양극재 에너지밀도 향상을 위한 CNT 도전재 기술

CNT 도전재를 양극재에 적용할 경우 기존 도전재인 카본블랙 대비 사용량을 1/5 수준으로 줄일 수 있다. 기존 리튬배터리의 화학적 물성 변화를 크게 일으키지 않아 손쉽게 적용할 수 있으며, 고가의 방인더 사용량도 줄일 수 있다. 또한, 동일 부피 내에서 도전재, 바인더 사용량을 줄이고 NCM, NCA와 같은 양극 활물질을 더 많이 투입할 수 있기 때문에 배터리 에너지밀도를 높일 수 있으며 생산 원가 절감에 도움이 된다.

CNT가 물성을 충분히 발휘하기 위해서는 균일한 분산 기술이 우선 확보되어야 하며, 일반적으로 CNT는 미세 분말 상태라서 그 자체로는 사용하기 어렵다. 우수한 특성들을 효과적으로 발현시키기 위해서는 반드시 용액에 물리적으로 분산시키거나 다른 소재와 복합체로 만들어 사용해야 한다. 현재 리튬이온전지 양극재용 CNT(Multi-walled CNT+NMP solvent) 도전재를 상용화시킨 업체로는 전세계적으로 LG화학과 나노신소재 두 업체 정도만 있으며 중국 Nan0-C가 소재 수요에 대응하기 위해 약 650억원을 투자해 CNT생산 설비 규모를 기존 500t에서 1,700t까지 증설한다고 밝혔다.

2) 음극재

① 실리콘 음극재 첨가 기술

기존 인조/천연 흑연에 실리콘을 첨가하는 방식으로 에너지밀도를 극대화 할 수 있다. 양극재와 달리 음극재는 자생적으로 에너지밀도를 개선시킬 방법이 제한적이다. 700Wh/L 이상부터는 실리콘계 소재의 사용이 필수적이므로, 21년부터 실리콘계 시장이 활발해질 것으로 예상된다. 실리콘은 에너지 밀도는 우수하지만(실리콘 에너지밀도는 탄소의 약 10배 수준임), 팽창 문제, 낮은 효율, 낮은 수명 문제를 극복해야하는 과제가 있다. 실리콘 팽창 문제와 수명 문제는 실리콘 나노화, 바인더소재 변경, 전해액 첨가제를 통해 효율 저하 문제는 실리콘 산화물 링 안에 메탈을 균일하게 반응시켜 개선할 수 있다.

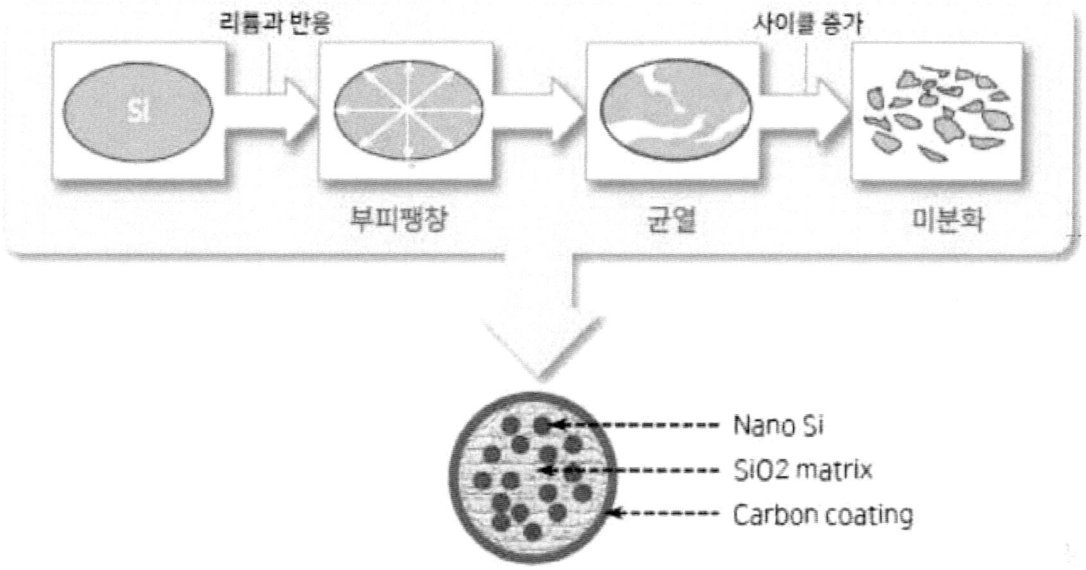

[그림 95] 실리콘 단점을 나노화와 카본코팅으로 극복하는 연구방안

실리콘 음극재는 크게 실리콘 산화물과 실리콘 카본으로 나누어지는데 대부분의 배터리 업체는 실리콘 산화물을 이용한 배터리를 개발하고 있다. 삼성SDI는 실리콘 카본을 사용하고 있는, 음극재를 실리콘 산화물로 전환을 하게 되면 전해액과 전지 시스템이 모두 바뀌어야 하기 때문에 용이하지 않다. 따라서, 향후에도 실리콘 카본을 이용하게 될 가능성이 높다. 실리콘은 근본적인 문제점(팽창, 수명 저하)이 있으므로, 음극재 내 실리콘 첨가 비중은 10%대에 머물 전망이며, 전기차 용도뿐만 아니라 파워툴, IT향으로도 실리콘계 음극재의 첨가 트랜드는 확대될 전망이다.

② 음극재용 탄소나노튜브(CNT) 도전재 연구

음극재용 도전재로서 사용되는 CNT에 대한 연구가 활발히 이루어지고 있다. 음극재용 CNT 도전재는 용해도가 상당히 낮은 물 기반의 수계 용매에 분산시켜 사용해야 하기 때문에 CNT 입자의 균일한 분산이 더욱 까다로워지는 기술적 어려움이 있다. 이와 같은 기술적 어려움 때문에 현재 음극재용 CNT 도전재(Single-walled/Multi-walled CNT+NMP solvent)를 양산해 전기차용 배터리에 상용화한 업체는 아직까지 나노신소재가 유일하다. 특히 안정성 확보가 중요한 배터리 제품 특성상 신규 업체 진입이나 새로운 소재가 적용되기 위해서는 검증하기까지 상당한 시간이 필요하기 때문에 기술 진입 장벽이 한동안은 높게 유지될 것으로 전망된다.

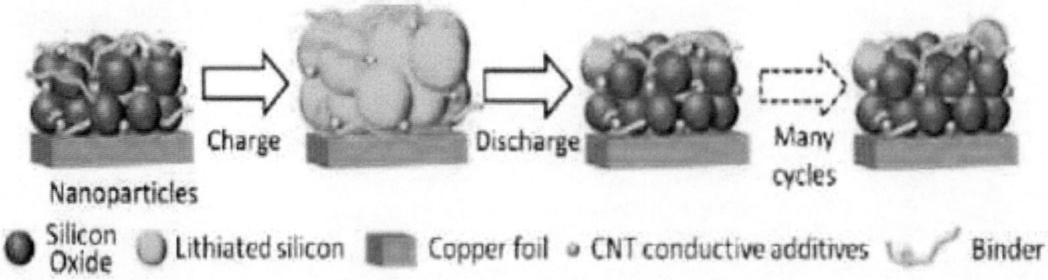

[그림 96] CNT 도전재가 실리콘 음극재의 팽창을 잡아주는 보완재로서 중요성 부각

③ 동박 기술에 대한 연구

음극 집전체로 쓰이는 동박은 박막, 광폭 사양이 요구된다. 동박이 얇아지면, 활물질의 적재 공간이 확장돼 에너지밀도를 높일 수 있고, 배터리가 가벼워져 전기차 성능이 향상된다. 최근 고강도, 고 연신율 등 물성 향상 제품의 채용이 증가하고 있고, 이는 활물질 집전량 확대, 프래스 공정시 전극 손실률 개선 등으로 반영되고 있다.

3) 전해질

① 액체전해질

국내외 전해액 제조업체들은 전해질의 안정적인 확보와 저가격화, 고순도화에 집중하고 있다. 전해액 제조기술은 성숙단계에 접어들었기 때문에 양산 능력(Capacity)을 늘리는 전략으로 저가격화를 실현하고 있다. 최근 전기자동차(EV)나 에너지저장장치(ESS)용 중대형 리튬이차전지의 폭발적인 수요증가에 따라 전해액의 고기능화와 동시에 저가격화 요구가 거세지고 있다.

겔 폴리머 전해질은 기존 액체전해질 기반의 확장개념으로 접근하고 있고, 고체전해질은 사업화 및 제품화까지는 시기상조로 볼 수 있다. 이에, 액체전해질의 안전성을 보완/강화할 목적으로 겔 폴리머 전해질이 파우치셀 위주로 적용되고 있다. 안전성 측면에서 궁극적으로는 고체전해질로 가야하지만 현재 고체전해질은 상업화를 논할 단계는 아니며, 기존 액체전해질 대비 경쟁력 있는 소재로 자리잡기위해서는 소재개발과 동시에 셀 적용 및 제조공정 관련 연구개발이 장기간 병행되어야 한다.

고체전해질은 온도변화에 따른 증발이나 외부 충격에 따른 누액 위험이 없으며 극한조건에서도 안정적으로 작동하며, 고에너지 밀도 및 고출력 등 이론적으로 액체 전해질 대비하여 장점을 가지고 있지만 낮은 이온전도도, 계면 저항 등 해결해야할 과제들이 상존한다.

② 기능성 첨가제

첨가제는 전극/전해액 계면특성에 영향을 주는데 이들은 양극이나 음극 표면에서 전기화학적 혹은 물리화학적 반응/흡착을 통해 보호피막을 형성하여 전지의 열화를 억제하거나 안전성을 향상시킨다. 액체전해질은 유기용매, 리튬염 및 첨가제의 종류에 따라 특성이 결정되며, 특히 고출력 향상과 폭발 방지 등을 위한 안전성을 개선하기 위해 다양한 첨가제들이 개발되고 있다. 기능성 첨가제는 처음에는 VC나 CHB 등과 같이, 수명개선이나 온도변화 등에 따른 전지의 폭발방지를 위해 사용되었으나, 전기자동차(EV) 및 에너지저장장치(ESS)와 같이 모바일 IT 기기에 비해 온도차가 큰 극한 환경에 장시간 노출되고 보다 고용량의 전지가 사용되기 때문에, 전해질의 온도 민감성을 개선시키고 안전성을 보다 향상시킬 수 있는 첨가제의 개발이 주요한 이슈가 되고 있다.

최근에는 전지의 수명특성 향상 및 저온에서의 이온전도특성 개선, 출력밀도 개선을 통한 충전시간 단축을 위해 리튬화합물계 전해액 첨가제 개발이 이루어지고 있다. 일본의 센트럴 글래스는 LiDFBOP(Lithium difuloro bis(oxalato) phosphate)으로 대표되는 옥살라토 그룹을 포함하는 리튬화합물 첨가제를 생산했다. LiDFBOP는 전극(양극, 음극) 표면에 전기화학적으로 안정한 보호피막을 형성시키는 기능을 수행하며 전지의 수명연장에 효과가 크며, 전지의 방전출력 구현에 기여한다.

5. 특허 동향

1) 양극재

이차전지 양극재 관련 기술의 지난 22년(1999년~2020년)간 출원동향을 살펴보면 2015년부터 급격한 성장을 보인 것을 알 수 있다. 국가별 출원 비중을 살펴보면 일본이 전체의 34%의 출원 비중을 차지하고 있어, 최대출원국으로 이차전지 양극재 분야를 리드하고 있는 것으로 나타났으며, 한국이 30%, 미국이 25%로 한국, 미국이 근소한 차이로 뒤따르고 있으며, 유럽은 11% 순으로 나타났다.

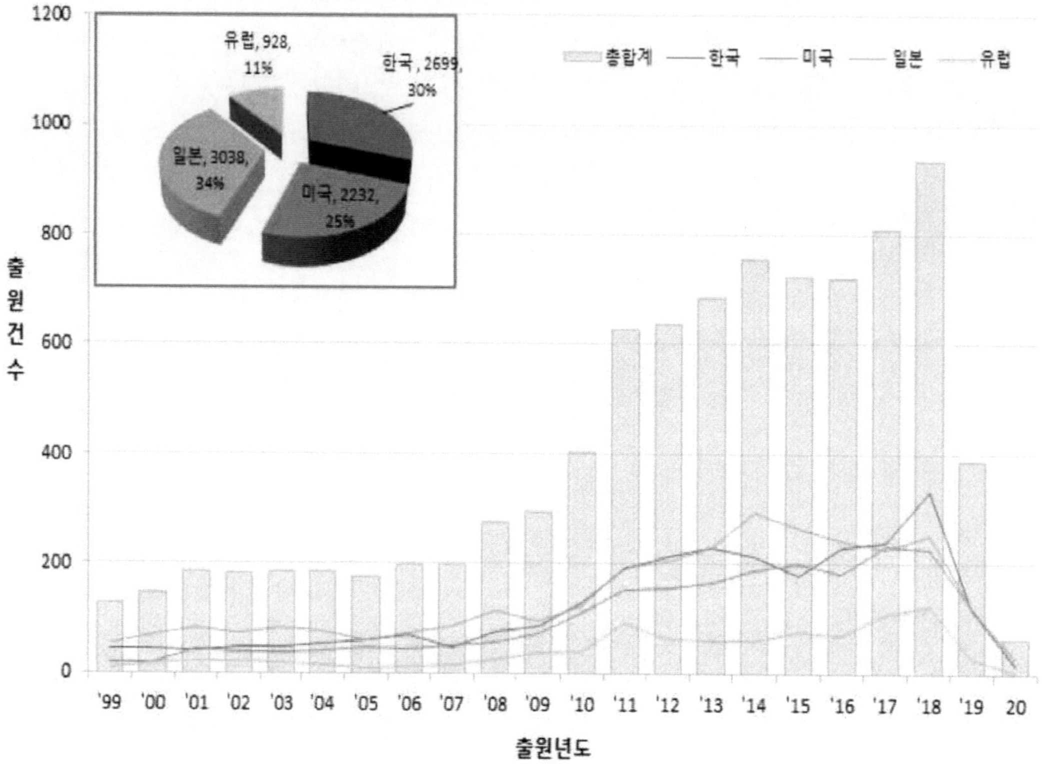

[그림 97] 이차전지 양극재 연도별 출원동향

한국의 출원현황을 살펴보면 2010년부터 해당 기술의 출원이 꾸준히 많은 추세이며, 2018년에 출원 수가 압도적으로 높았고, 외국인 출원 비중이 전체출원의 31% 수준을 유지하고 있다. 한국 기술의 양적 흐름은 일본과 상당히 유사한 양상을 보이고 있는데, 한국의 전체출원 비율(30%)은, 일본의 전체출원 비율(34%)과 거의 근접한 수준을 보이고 있다.

미국의 출원현황을 살펴보면 2010년에 출원수가 급격히 증가한 이후로 꾸준히 유지되고 있다. 미국의 경우, 한국이나 일본에 비해 외국인의 출원 비중이 큰 것으로 나타났다.

유럽은 한국, 미국, 일본에 비하여 상대적으로 출원 건수가 적어, 해당 기술 분야에서 유럽 시장에 대한 관심도가 상대적으로 낮은 것으로 보인다. 유럽은 외국인 출원 비중이 압도적으로 높다.

일본은 2011년에 출원 수가 급격히 증가한 이후, 2014년에 최다 출원수를 기록했다. 이후에는 출원이 다소 줄어들었으나 여전히 높은 출원 수를 기록하고 있으며, 내국인 출원비중이 높다.

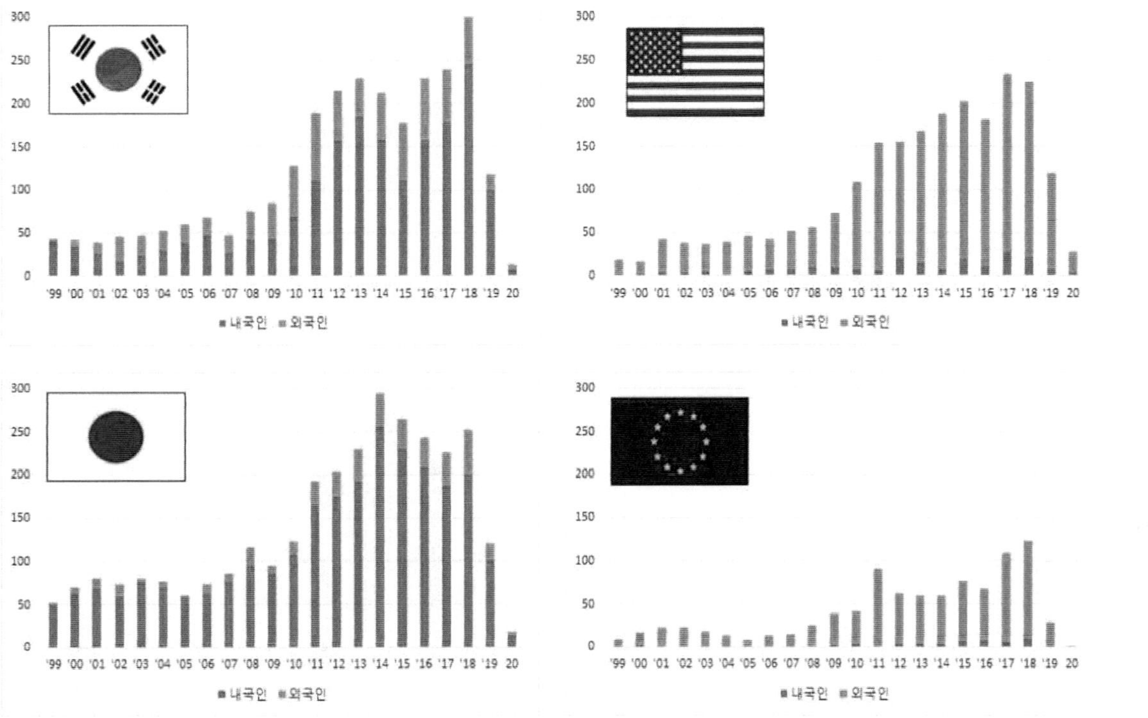

[그림 98] 국가별 출원현황

2) 음극재

이차전지 음극재의 지난 22년(1999년~2020년)간 출원 동향을 살펴보면 2015년부터 급격한 성장을 보이고 있다. 국가별 출원비중을 살펴보면 일본이 전체의 34%의 출원비중을 차지하고 있어, 최대 출원국으로 이차전지 음극재 분야를 리드하고 있는 것으로 나타났으며, 한국이 32%, 미국이 24%로 한국, 미국이 근소한 차이로 뒤따르고 있으며, 유럽은 11% 순으로 나타났다.

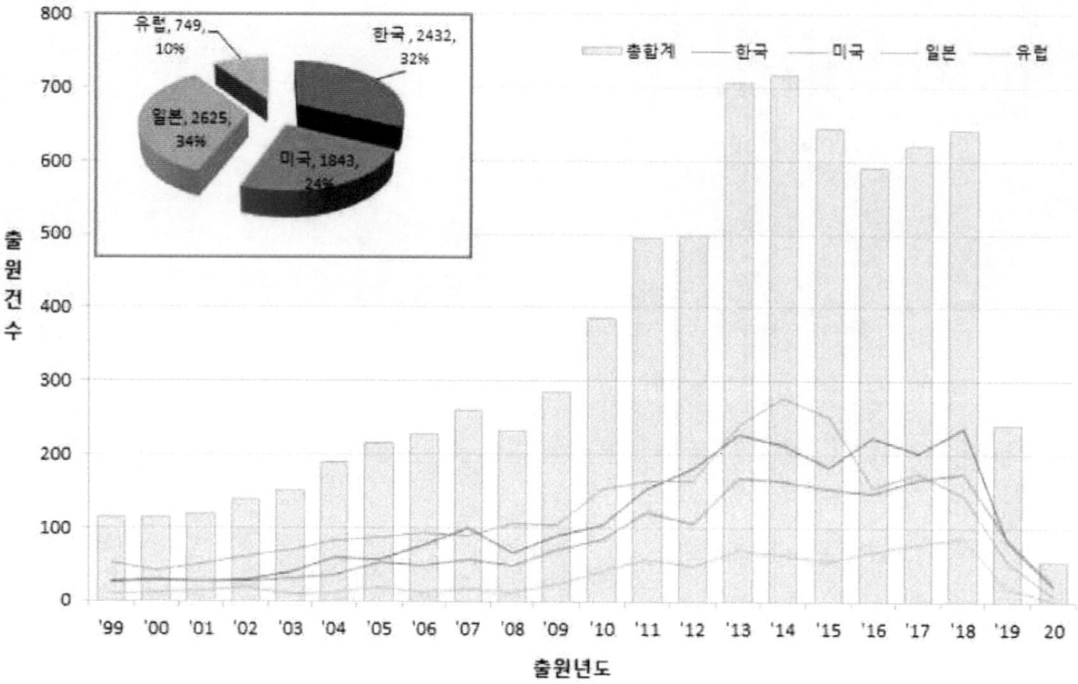

[그림 99] 이차전지 음극재 연도별 출원동향

한국의 출원현황을 살펴보면 2011년부터 해당 기술의 출원이 급격히 증가한 이후 꾸준히 출원 수를 유지하고 있다. 한국 2011년 이후 출원의 내국인과 외국인의 출원 비율은 약 2:1 수준을 유지하고 있다. 한국 기술의 양적 흐름은 미국과 상당히 유사하며, 전체 출원 비율(32%)은 일본의 전체 출원 비율(34%)과 거의 근접한 수준을 보이고 있다.

미국의 출원현황을 살펴보면 2012년에 출원 수가 다소 감소한 것을 제외하고는 2010년부터 꾸준히 출원건수가 높은 추세를 보이고 있다. 미국은 한국이나 일본에 비해 외국인의 출원 비중이 큰 것으로 나타났다.

유럽은 한국, 일본의 전체 출원건수가 1/3 수준으로, 해당 기술 분야에서 아시아 시장 대비 유럽 시장에 대한 관심도가 낮은 것으로 보이며, 외국인 출원비중이 압도적이다.

일본의 출원현황을 살펴보면 2013~2015년 사이에 출원활동이 압도적으로 활발하였고, 전후로는 유사한 수준을 유지하고 있다. 일본은 내국인 출원비중이 가장 높게 나타났다.

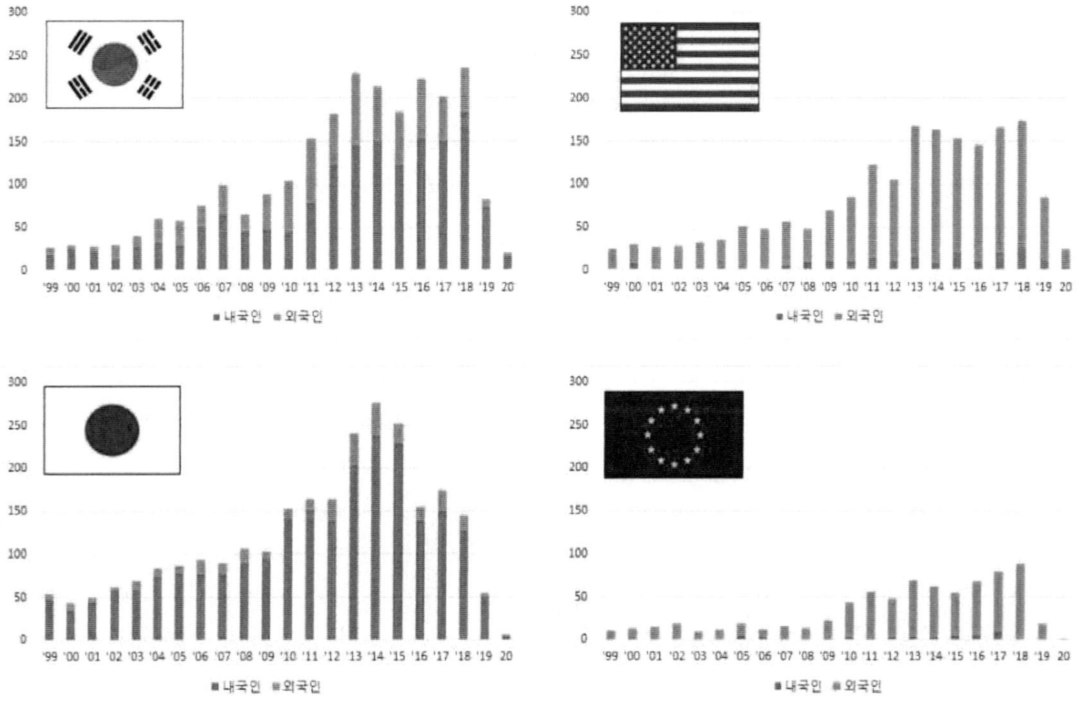

[그림 100] 국가별 출원현황

3) 전해질

전해질의 지난 22년(1999~2020)간 출원동향을 살펴보면 초기 1999년~2009년에 소폭으로 증감을 보이며 출원이 이루어지다가 2010년 이후 증가추세에 접어들었으며 2014년 이후 다소 감소하는 동향을 보이고 있다. 각 국가별로 살펴보면 초기구간에 일본이 출원 성장을 나타냈으며 한국과 미국은 중기구간 이후부터 활발한 출원을 보였다.

전해질 특허기술은 일본이 양적으로 주도하고 있으며 2015년 이후는 일본, 한국, 미국 간의 출원 건수 격차가 좁혀지고 있는 것으로 나타났다. 유럽에서는 상대적으로 출원이 저조한 상태다.

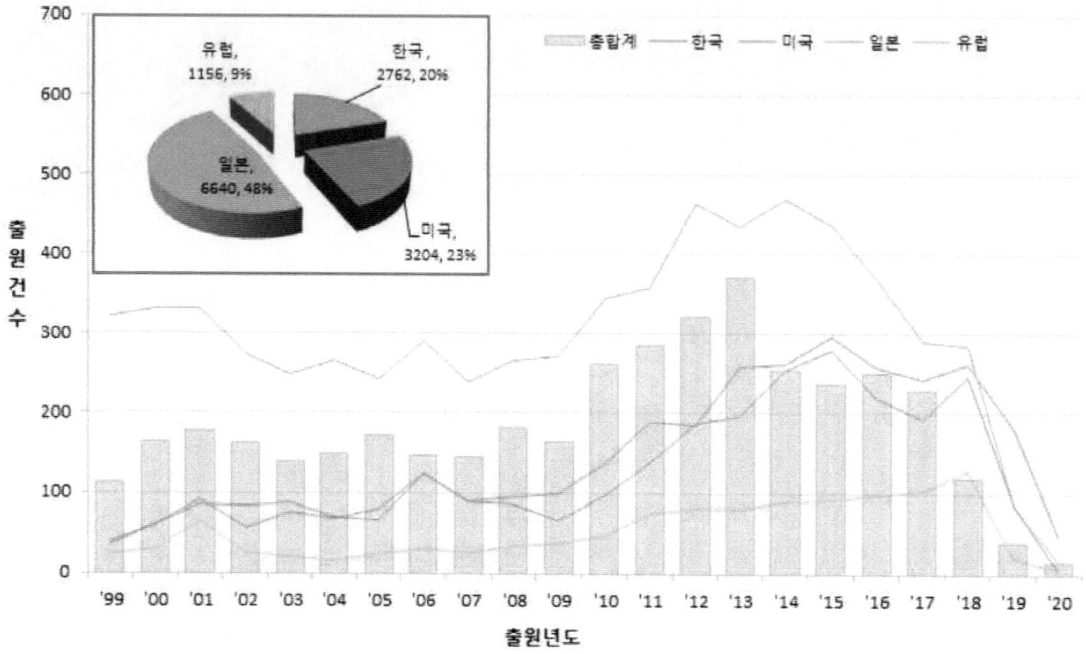

[그림 101] 전해질 연도별 출원동향

한국과 미국의 출원현황을 살펴보면 전체구간에서 증가추세를 보였으나 2016년도 이후 다소 저조한 출원현황을 나타내고 있는 것으로 보이며, 한국은 내국인, 미국은 외국인 비중이 우위에 있는 것으로 조사되었다.

일본의 출원현황은 분석구간(1999년~2020년) 동안(미공개구간 제외) 매년 200건 이상의 출원을 보이며 꾸준히 높은 활동을 보였으나, 2015년도 이후 다소 감소하는 경향을 보였다. 일본은 내국인의 비중이 우위에 있으며 이는 자국기업의 경쟁으로 진입장벽이 높아 일본 시장에 대한 외국인 기업의 관심도가 높지 않은 것으로 판단된다.

유럽의 경우는 전체적으로 출원건이 증가하고 있지만 절대적인 출원수가 기타 주요국에 비해 저조한 상황이며, 외국인의 비중이 우위에 있는 것으로 조사되었다.

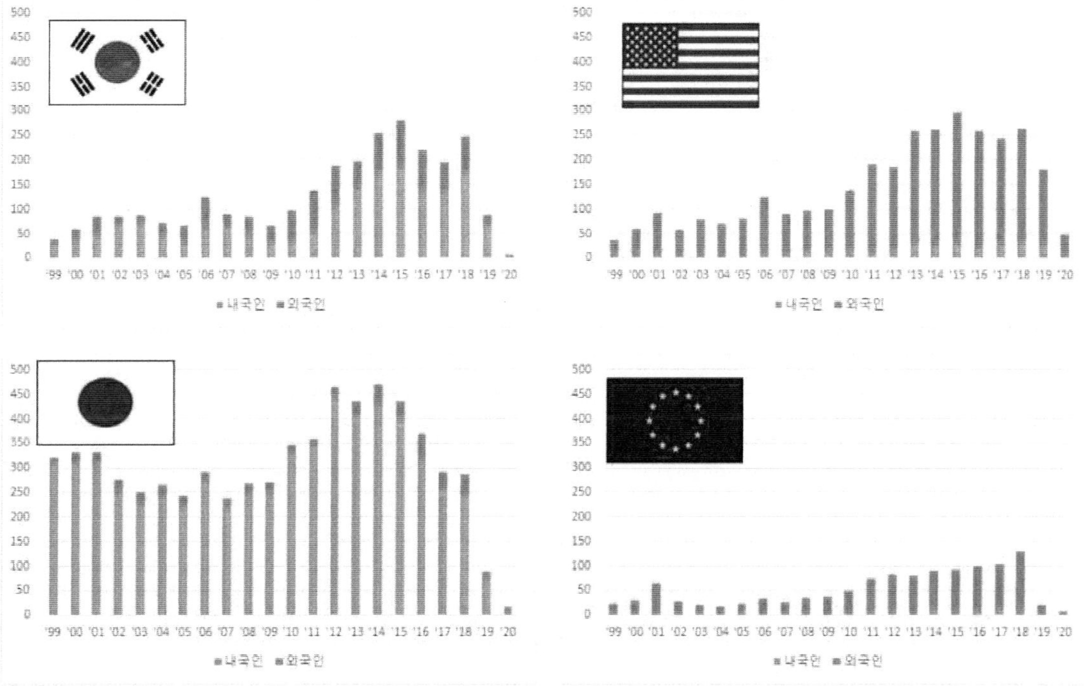

[그림 102] 국가별 출원현황

5. 2차 전지 정책 동향

V 2차 전지 정책 동향[52)]

1. 해외 정책 동향

1) 미국

미국 연방정부와 주정부의 온실가스 배출규제 및 신재생에너지 보급 확대 등으로 인해 분산 전원인 이차전지의 수요가 증가하고 있다. 미국은 에너지정책법(2005), 에너지 독립 및 안보법(2007), 청정전력계획(2014) 등을 통해 자동차 연비, 건물에너지, 화력발전소의 온실가스 배출 등 규제를 강화하고 있다. 미국은 2017년부터 2025년까지 온실가스 배출을 연간 3~6% 저감하고, 자동차 연비를 2005년 대비 47~62%(2025년 기준) 향상시키기 위한 기후변화 액션플랜을 발표(2013)했다.

또한, 미국에서는 정부 차원의 전기차 세제지원 및 판매 의무화, 인프라 구축 지원 등을 통해 전기차 보급이 확대되고 있으며, 이는 전기차의 에너지원인 이차전지 수요 증가를 견인하고 있다. 미국 정부는 정부 주도의 전기차 합동 구매, 소득세 공제(상한 $7,500), 주정부의 소득세 추가 감면 및 보조금 지원 등 전기차 구매에 대한 세제혜택을 제공하고 있으며, 캘리포니아 등 10개 주에서 2019년부터 무공해차 의무판매제[53)]를 실시하였으며, 의무할당량을 2025년까지 22%로 확대할 예정이다.

미국 에너지부(DOE)는 'Workplace Charging Challenge' 프로그램을 통해 약 350개의 산·학·연이 참여하는 '주거지 및 직장 내 충전인프라 구축을 위한 기술 개발'을 추진 중이며, 충전 시설이 설치된 건물에 세제 혜택을 주는 등 전기차 인프라 구축을 주도하고 있다.

2) 유럽(EU)

유럽은 자동차 탄소배출규제 및 연비규제 강화에 따라 전기차 수요가 확대되고 있으며, 전기차로의 전환이 이차전지에 대한 정책적·재정적 지원을 가속화하고 있다. 유럽연합(EU)은 CO_2 배출을 2050년까지 80%(1990년 대비) 감축하기로 합의하면서 자동차 탄소배출규제와 연비규제를 강화하였고, 2025년 노르웨이와 네덜란드를 시작으로 영국, 독일, 프랑스 등에서도 내연기관 차량의 판매를 금지할 계획이다.

EU 집행위원회(European commission)는 2017년 10월 European Battery Alliance(EBA)를 설립하여 유럽 전지 개발 및 생산에 관한 고위급 회의를 정기적으로 주최하고 있으며 이차전지 분야의 실행계획(Action plan)을 수립했다. 이를 통해 이차전지 분야의 혁신과 기술력 확보 및 생산역량 강화를 위해 회원국 간 프로젝트 연계 시 연구비 및 시범설비 건립 등을 지원한다.

---

52) 이차전지, 기술동향브리프, 2020

53) Zero Emission Vehicle Mandate (ZEV Mandata): 2만대 이상을 판매하는 업체는 연간 판매량의 4.5%를 무공해차로 판매하도록 규제

독일과 프랑스 정부는 배터리 셀 생산을 위한 공동선언문을 발표(2018년 12월)하고, 양국이 협력하여 관련 업체들의 기술개발과 시장진입 활동을 촉진하고 경쟁력 있는 배터리 셀 생산이 가능하도록 정부차원의 지원을 확대하기로 합의했다.

3) 일본

일본은 에너지 및 환경 문제 대응을 위해 안정·효율적인 친환경 에너지로의 전환 정책을 수립하고 전기차 기술 개발 및 보급을 지원하는 등 이차전지 응용 저변을 확대하고 있다. 일본은 에너지·환경 문제 대응을 위해 '3E+S'[54] 기반의 '4차 에너지기본계획(2014)'을 수립하였으며, 글로벌 에너지 정책 흐름에 부응함과 동시에 자국의 에너지시스템 혁신을 통한 에너지시장 활성화 및 경쟁력 강화를 추진하고 있다.

일본 환경부는 저오염 배출 프로그램과 환경개선 프로젝트를 통해 전기차 도입 시의 전기 수요를 측정하고 구매 보조금을 지원하며, 국토교통부는 저공해 자동차 촉진 대책 보조금을 통해 전기차·수소차 세금의 50% 감면을 추진하고 있다. 환경부는 에너지 환경 혁신을 위한 유망 기술 연구개발을 강화하고 온실가스 배출량의 대폭적인 감축을 위해 차세대 지열발전, 이차전지 등 8대 분야에 주력하여 온난화 대책 마련과 경제성장 병행을 도모하고 있으며, 2030년까지 신차 비율의 50~70%를 전기차 등 차세대 자동차로 전환하기 위해 전기차 주행거리 연장을 위한 전지 개발을 지원한다.

글로벌 전기차 시장의 급성장에 따라 일본 정부는 자국 자동차 및 배터리 업계에 대한 파격적인 지원을 추진하고 있다. 이를 위해 일본 정부는 자동차(혼다, 닛산, 도요타 등) 및 배터리(아사히카세이, 도레이 등) 관련 업체의 차세대 전고체전지 공동개발을 적극적으로 지원하고 있으며, 경제산업성(METI)은 기술연구조합인 '리튬이온전지재료평가연구센터(LIBTEC[55])'에 16억엔을 지원(2018)했다.

일본은 글로벌 이차전지 산업을 주도하기 위해 자국 중심의 전략적 국제 표준화를 시도하고 있다. 일본은 하이브리드 전기차(HEV) 기술을 일찍이 확보하고 90년대 초반에 전기차 관련 표준을 개발하였으며 산업계 연합체인 CHAdeMO[56]를 결성하여 급속 충전의 통일 규격을 제정했다. 이를 통해 전지 성능·안전성 평가기법 및 충전 커넥터·시스템의 국제 표준화와 더불어 표준화 관련 민관협력 검토체제 강화와 인재육성을 추진하고 있다.

4) 중국

중국은 전기차 보급 확대 계획 및 의무생산제 도입에 따라 이차전지 산업이 급성장하고 있으며 자국 기업 육성 중심의 지원 정책을 추진하고 있다. 중국 정부는 2020년까지 전기차 500

---

54) 3E+S : 안정성(Safety), 안정공급(Energy security), 경제효율성(Economic efficiency), 환경적합(Environmental conservation)
55) LIBTEC: 2010년 NEDO 지원으로 설립되어 전지 소재와 완성품 회사 사이의 가교 역할 수행
56) Charge와 Move의 합성어로서 도쿄전력 주도로 도요타, 닛산, 미쓰비시, 후지중공업이 가세한 급속 충전기 표준화 그룹

만대 보급 계획과 함께 세계 최대의 내수시장을 근간으로 자국 이차전지 산업을 육성하고 있으며, 유럽 및 한국 주요 기업과의 합작 법인 설립을 통해 기술력 향상을 도모하고 있다. 중국에서는 2019년 친환경 신에너지차 의무생산제가 실시되어 중국 시장에 진출한 글로벌 자동차 기업들의 전기차 생산이 의무화됨에 따라 이차전지 시장은 더욱 커질 것으로 전망된다. 중국 전기차 공공 충전시설은 2015년 이후 빠르게 증가하고 있다.

중국 정부는 2015년 3월 '전기차 이차전지 산업 규범 요건'을 발표하여 매년 합격 업체('화이트 리스트')를 공시하나, 외국계 기업은 배제하여 중국산 이차전지를 탑재한 전기차에만 보조금을 지급하는 등 자국 기업 중심의 폐쇄적 육성 정책을 추진하고 있다. '화이트 리스트' 업체의 이차전지 이용이 보조금 수령 요건으로 인식되면서 전기차 업체들은 이차전지 공급사를 대부분 자국 로컬업체로 교체했다.

2. 국내 정책 동향

국내에서는 에너지기본계획 및 에너지기술개발계획 등을 중심으로 이차전지 기술개발 목표·내용을 구체화하고 정책적 지원을 강화하고 있다. 이를 통해 정부는 재생에너지 연계 에너지 저장장치(ESS) 인프라를 신속히 구축(2018년까지 4.9 GWh 규모)하고 있으며 전력중개시장을 개설('19.2월)하여 수요관리 시장 조성을 활성화했다. 또한, 태양광 생산 전기를 ESS에 저장 후 전기차 충전소에 판매하고, 폐배터리를 소규모 태양광용 ESS로 활용하는 등 이차전지 중심의 비즈니스 모델 개발을 위한 정책지원을 강화했다.

정부는 제4차 에너지기술개발계획('19~'28) 이행을 위한 중점투자기술로서 계통안정화·수요대응형 차세대 ESS개발, 배터리 셀 안전성 시험 및 화재대응 기술 등을 도출했다. 또한, 전력수급 중·대형 이차전지의 시험·인증·평가 시설 및 실증 테스트베드 구축 지원 등을 통해 이차전지 실용화 연구를 위한 기반을 강화했다.

국내에서는 전기차 보급 확산정책으로 인해 이차전지 수요가 급증하고 있으며 주행거리 향상을 위한 이차전지 핵심기술 및 충전기술 개발을 지원하고 있다. 이를 위해 정부는 구매보조금 지원, 충전인프라 확충, 세금(개별소비세·교육세·취득세) 감면 등의 직·간접적인 지원을 수행했고, 이로 인해 전기차 보급이 급속도로 확산되었다. 또한, 이차전지 에너지밀도 향상 및 초급속 대용량 충전 기술, 배터리팩 경량화 등 현안 기술과 더불어 차세대전지(전고체전지 등) 개발 등 미래시장 선점을 위한 지원을 강화하기도 했다.

6. 2차 전지 전방산업 동향

VI 2차 전지 전방산업 동향[57)58)59)]

이차전지는 전기에너지와 화학에너지의 반응을 통하여 반영구적 충/방전 사용이 가능한 화학전지로, 1회 충전 후 폐기해야 하는 일차전지의 한계를 극복했다. 이차전지는 1900년대 자동차의 발전과 함께 납축전지를 시작으로 20세기 중반 전자기기에 이동성을 부여한 니켈계 니켈-카드뮴 배터리로 발전하였다.

그리고 1991년 일본 Sony사는 IT 산업의 에너지 고용량, 경량화, 소형화 수요에 부합하는 원통형 리튬이온전지(Lithium-ion battery, LiB)를 전세계 최초로 상업화에 성공하였다. 이를 시작으로 1996년 각형, 1999년 파우치형, 2003년 전동공구용 원통형 리튬이온전지의 개발을 통하여 휴대폰, 노트북, 카메라, 산업공구 등으로 널리 사용되었다.

리튬이온배터리는 전기화학적 산화·환원 반응을 통해 충전이 가능한 2차전지의 일종으로 환경규제물질을 미포함하고 기존 전지 대비 무게가 가벼움과 동시에 에너지 밀도가 높아 노트북, 스마트폰 등의 소형 전자기기에 사용된다. 또한, 초소형화를 통한 웨어러블 기기에 적용, 팩 및 모듈화를 통한 수요처별 제품 설계를 기반으로 다양한 응용 분야에 적용될 수 있는 4차 산업혁명의 대표적인 기술로, 양극재, 음극재, 분리막, 전해질 등 핵심 요소 원천기술의 고도화가 이루어지고 있다.

최근에는 전기자동차(EV)를 중심으로 자동차용 수요가 급증하고 있으며, 특히 단순하게 자동차의 전동화에 기여하는 소극적인 역할에서 벗어나서 사물인터넷(IoT), 인공지능(AI) 등 미래기술과 융합함으로써 산업 변혁을 주도할 기술로 주목 받고 있다. 전기자동차용 리튬이온전지(원통형)는 국내기업인 LG화학이 세계 최초로 양산하였으며, Hybrid Electric Vehicle(HEV, 내연기관과 이차전지 조합)를 시작으로 Plug-in Hybrid Electric Vehicle(PHEV, 외부접속에 의한 충전 가능)과 Battery Electric Vehicle(BEV, 100% 이차전지로만 구동)로 발전하고 있는 과정이다.

또한 유럽, 미국, 중국 등 주요국의 친환경 정책 영향으로 전기차, ESS 등 전방산업 시장이 확대되면서 이차전지 수요가 더욱 확대될 전망이다.[60)] 이차전지 산업의 성장은 후방산업의 기술개발을 토대로 전방산업의 신규시장 선점과 같은 연쇄효과가 큰 특징을 보인다. 이로 인하여 소재경쟁력 확보의 필요성이 더욱 커지고 있는 상황에서 국내외 주요 이차전지 기업들은 소재분야의 기술 경쟁력 개발에 힘쓰고 있는 양상이다. 또한, 기술발전으로 인한 이차전지 생산비용의 급격한 감소가 예상되며, 이를 통하여 가격 경쟁력을 갖추고 다양한 분야에서의 신규 수요가 생겨나서 이차전지 산업 전체적인 시장 규모를 확대할 가능성이 높다.

---

57) 전방산업 변화로 본 이차전지 산업의 미래, 삼정 KPMG, 2017.12
58) 2차전지, 최보영, 교보증권, 2019.05.14
59) 리튬이온배터리, NICE평가정보(주),2020.08.16
60) 삼성SDI·SK이노베이션 등 국내 3사 전기차 배터리 세계 시장점유율 2배 이상 증가, 기계신문, 2021.01.148

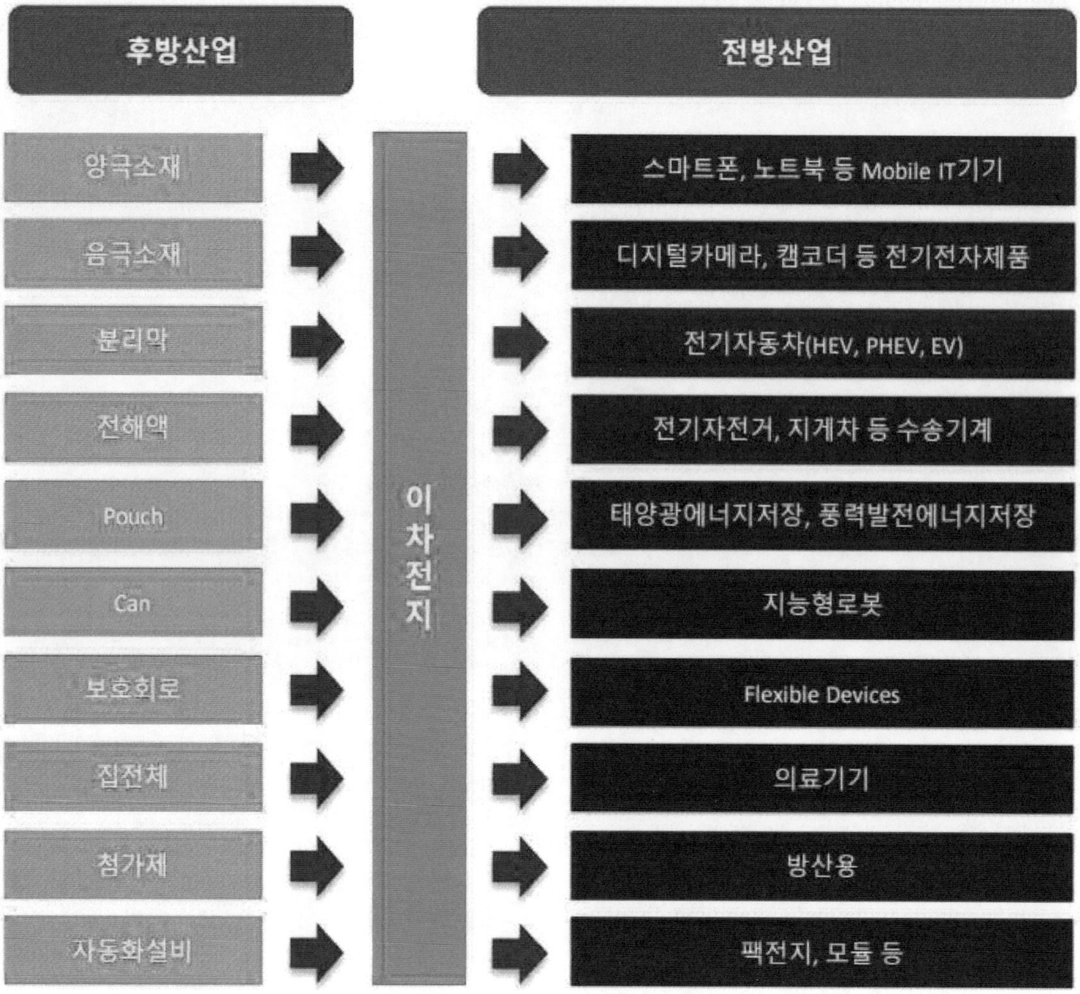

[그림 105] 이차전지 산업의 전·후방 산업

앞서 살펴본 바와 같이 이차전지의 용도는 IT기기에서부터 전기자동차 및 에너지저장시스템(Energy Storage System, ESS)에 이르기까지 다양하게 개발되고 있으나, 수요 확대의 가장 큰 걸림돌은 가격 문제이다. 특히 전기자동차 및 ESS 등 중대형 이차전지 시장의 새로운 수요 창출 속도는 결국 가격 하락 속도에 비례해서 빨라질 전망이다.

리튬이차전지 산업은 전기자동차, ESS에서부터 로봇에 이르는 다양한 응용분야의 핵심기술로 자리매김하고 있어 산업적 중요성이 더욱 확대되어 가는 추세에 있다. 또한, 기존의 모바일·IT기기용 소형 이차전지에서 전기자동차 및 에너지저장시스템용 중·대형 이차전지로의 중심축이 변화하는 과도기 양상을 띄고 있다는 점에 주목할 필요가 있다.

1. 전기 자동차(xEV)

최근 유럽연합(EU)을 비롯해 주요국들이 환경 규제를 통한 탄소중립을 선언하면서 친환경차 시장 호황을 맞이했고, 이러한 열풍에 힘입어 핵심부품인 이차전지 판매량 또한 가파른 성장세를 기록하고 있다. 한 리서치에 따르면, 전기차 및 이차전지 산업이 성장세를 보이는 것은 고무적인 일이라며, 글로벌 이차전지 수요량이 2025년에는 2020년 46만 톤에서 약 6배 증가한 약 275만 톤을 기록할 것으로 분석됐다. 전문가들은 코로나19 장기화 상황에서다면 향후 포스트코로나 시대의 새로운 먹거리 산업을 창출할 것으로 기대하고 있다.[61]

여기에 미국에선 조 바이든 민주당 후보의 대통령 당선이 확정된 데 따른 미국의 파리기후협약 복귀와 함께 유럽연합(EU)의 환경규제가 강화되는 만큼 국내외 자동차업계의 친환경차 확대가 기대된다. 연비 규제 등 친환경 정책을 강경하게 거부해왔던 현 도널드 트럼프 대통령과 달리 바이든 후보와 민주당 행정부는 적극적으로 연비 규제를 강화하고, 전기차 등 친환경 차량 보급을 늘려나가겠다는 공약을 내세우고 있기 때문에 앞으로 바이든 행정부의 정책이 자동차 산업에 어떤 영향을 미칠 것인지 업계는 촉각을 세우고 있다.[62]

미래 자동차 산업 변화의 키워드는 연비와 친환경으로 볼 수 있다. 주요 국가들은 자동차 연비 규정 및 이산화탄소 배출량 허용기준을 강화하면서 친환경 자동차 생산을 장려하고 있으며, 특히 전기자동차를 미래 신성장 산업으로 육성하기 위하여 R&D 투자, 보조금, 세제정책 개편, 충전·주차 편의강화를 위한 인프라 확대등의 정책을 다각화해 가며 전기자동차 보급 확대에 노력하고 있다. 이처럼 '친환경발전'이 세계적인 정책 키워드로 부상하면서, 국내외 자동차 업계도 계속해서 미래차친화적인 사회·산업 생태계를 구축한다는 목표가 제시되고 있다.

전기자동차 시장 확대는 거스를 수 없는 추세로 자리잡고 있으며, 전장, 디자인, 자율기능과 같은 소프트웨어의 중요성이 강조되어 자동차의 IT화를 더욱 촉진할 것으로 예상된다. 2015년 9월 폭스바겐의 디젤게이트 사건의 발생으로 기존 내연기관 자동차로는 향후 연비개선과 배기가스 규제를 준수하기 어려울 것이라는 인식을 공유하게 되어 이후 많은 국가들이 내연기관차 판매 중단을 발표했으며, 이러한 외부 환경의 변화로 전세계 주요 완성차 제조 업체들도 빠르게 친환경자동차로의 판매 정책 전환을 발표, 이를 적극적으로 추진하고 있다. 대표적인 예로 폭스바겐은 2016년 9월 '2025전략'을 발표하며 2025년까지 전체 판매량의 20~25%(규모로 약 3백 만대)를 순수 전기차 매출 목표로 발표하였다. 볼보 또한 2019년부터 순수 내연기관차 판매 중단을 발표하였고 2025년까지 친환경차(xEV) 1백 만대 달성을 목표로 발표하였다. 완성차의 개발기간이 평균 3~5년 걸린다는 점을 고려하면, 2020년을 전후로 전기자동차 출시 모델이 급증할 것으로 예상되며 다양한 모델 선택 가능성은 또 다른 전기자동차 판매 증가의 요인으로 작용할 것으로 전망된다. 중국과 미국 등 주요국의 전기차 의무판매 규제 또한 강화되고 있는데, 미국은 캘리포니아주 주도로 친환경 자동차 정책을 추진하고 있다. 주행 거리와 충전 속도 등 경쟁력을 갖춘 3세대 전기차가 본격적으로 출시되는 2022~2023년부터 미국 내 전기차 판매량은 가파르게 성장할 것으로 예상된다.

---

61) 전기차 판매량 급증에 이차전지 시장 가파른 성장세 / Hello T
62) [바이든 시대] 전기·수소차에 보조금 지급 약속...친환경차 판매 급증할 듯 / 조선비즈

	2024년	2025년	2030년	2035년
아테네		1		
오클랜드		1		2
발레아릭 제도			1	
바르셀로나			2	
케이프타운			2	
코펜하겐			2	
런던			2	
로스엔젤레스			2	
마드리드		1		
멕시코시티		1	2	
밀란			2	
옥스퍼드			2	
파리	1		2, 3	
로마	1			
시애틀			2	
스톡홀롬			3	
벤쿠버			2	

[표 75] 유럽 내연기관 차량 퇴출 선언
주: 1 - 디젤차량 진입금지, 2- 내연기관 없는 도로,3- 내연기관 진입금지,
4- 내연기관 판매금지

1) 전기 자동차 시장[63)]

이미 전 세계적으로 BEV 판매량이 PHEV를 앞지르고 있으며, 2030년에는 BEV가 전기차 신차 판매량의 81%(2,530만대)를 차지할 것으로 예측된다. 반면, PHEV 판매량은 2030년 580만 대 수준에 그칠 전망이다. COVID-19로부터 회복할 경우 2025년까지 내연기관 차량의 판매량 증가(8,170만대)가 이어지겠지만, 이후부터는 시장 점유율이 점차 감소할 전망이다.

향후 10년의 글로벌 전기차 시장의 연평균성장률(CAGR)은 29%에 달해, 2020년 전체 전기차 판매량은 250만 대, 2025년 1,120만 대, 2030년 3,110만 대까지 증가할 전망이다. 또한, 전기차 시장 점유율은 신차 판매량의 약 32%에 달할 것으로 예상된다. 연간 자동차 판매량은 2024년까지 COVID-19 이전 수준을 회복하지는 못할 전망이다. 다만, 느린 회복 속도는 내연기관 자동차 판매가 둔화된 결과일 것으로 예측된다.

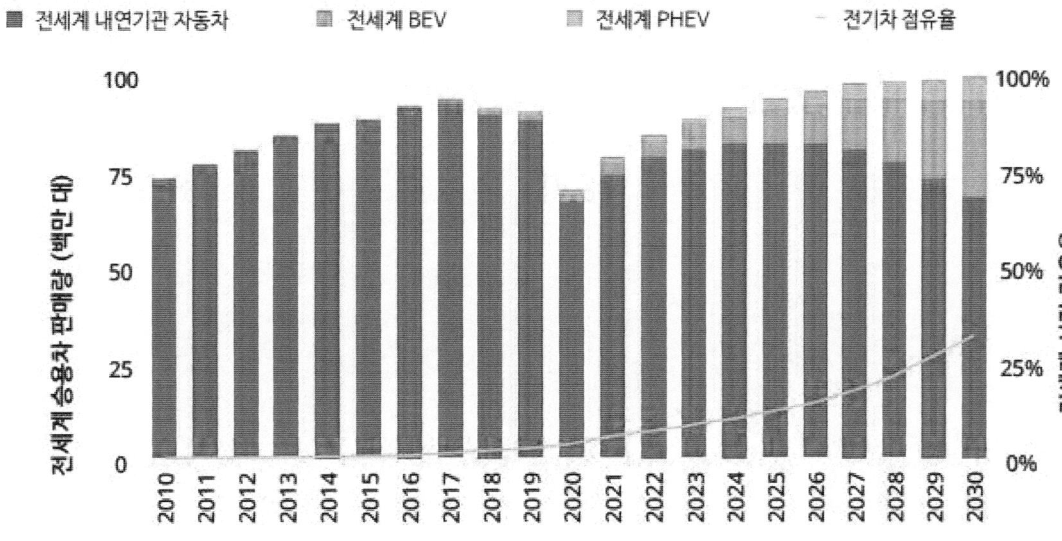

[그림 106] 2030년까지 전세계 연간 승용차 및 경차 판매량 전망

전기차 시장은 COVID-19로부터 회복이 진행되는 동안 계속해서 긍정적인 기조를 유지할 것이며, 단기에 시장 점유율의 상당 부분을 차지하게 될 것이다. 딜로이트는 2030년까지 중국이 전세계 전기차 시장의 49%, 유럽이 27%, 미국이 14%를 차지할 것으로 전망한다.

신차 판매량 중 전기차 비중은 국가별 차이가 두드러질 것이다. 중국 내 전기차 판매 비중은 2030년까지 48%에 이를 것이며, 이는 미국(27%)에 약 2배가량 되는 수치이다. 유럽은 42%를 달성할 것이다. 하지만 이 숫자만으로는 모든 것이 설명되지 않는다. 북부 및 서부 유럽의 성장률이 남부와 동부 유럽의 성장률을 가뿐히 뛰어넘을 것으로 보이는데, 상대적으로 부유한 국가들(영국, 독일, 프랑스, 네덜란드, 북유럽 국가)이 초기 성장률을 견인하기 위해 인프라 투자를 확대하고 지원금 및 세제 혜택을 늘릴 것으로 보이기 때문이다.

---

63) 전기차 시장 전망 2030년을 대비하기 위한 전략, Deloitte Insights,

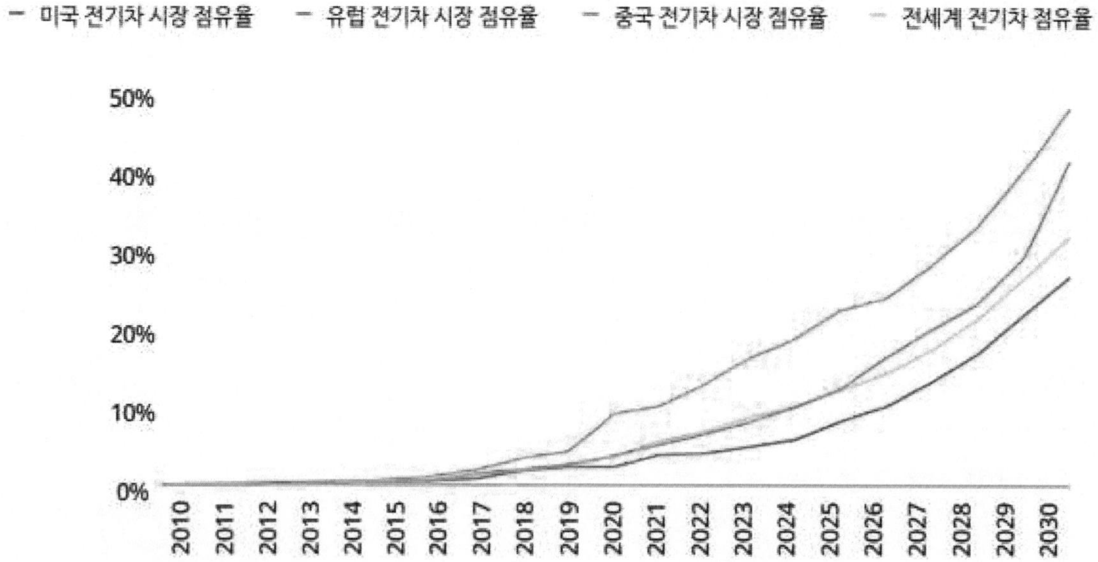

[그림 107] 주요 지역 별 전기차 시장 점유율 전망

2030년 이후, 전기차 판매량의 성장세는 둔화될 것으로 전망된다. 일부 국가는 향후 10년간 부유한 국가들처럼 전기차로의 전환 정책을 추진하기는 어려울 수 있다. 2030년 이후에도 성장세를 유지하기 위한 주요 요건은 적합한 충전 인프라의 도입이다. 이는 수십억 달러의 자본 투자를 필요로 할 것이며, 일부 국가에서는 민관 투자를 통해 가능한 일이기 때문에 모든 국가에서 동일한 발전이 이루어지지는 못할 것이다. 충전 인프라에 투자하지 못하는 국가에서는 내연기관 차량이 한동안은 시장 점유율의 상당 부분을 차지할 전망이다.

2) 전기자동차용 이차전지 시장

휴대전화의 약 7,000배, 노트북의 약 700배 용량의 이차전지를 탑재하는 전기자동차의 확산은 이차전지 시장을 폭발적으로 성장시킬 것으로 기대된다. 즉, 전방 산업인 전기자동차 시장 성장 가속화로 전기차용 배터리 수요가 증가함에 따라 전기자동차용 이차전지 시장 규모 또한 날로 증가하고 있으며, 미래 먹거리 산업으로 위치를 공고히하고 있는 상황이다. 특히 전기자동차용 이차전지 시장에서 국내 기업들은 시장점유율은 크게 확대되고 있다. 실제로 LG에너지솔루션, 삼성SDI, SK이노베이션 등 국내 3사의 2020년 글로벌 시장에서의 전기차 배터리 시장점유율은 전년대비 2배 이상 증가한 것으로 나타났다.

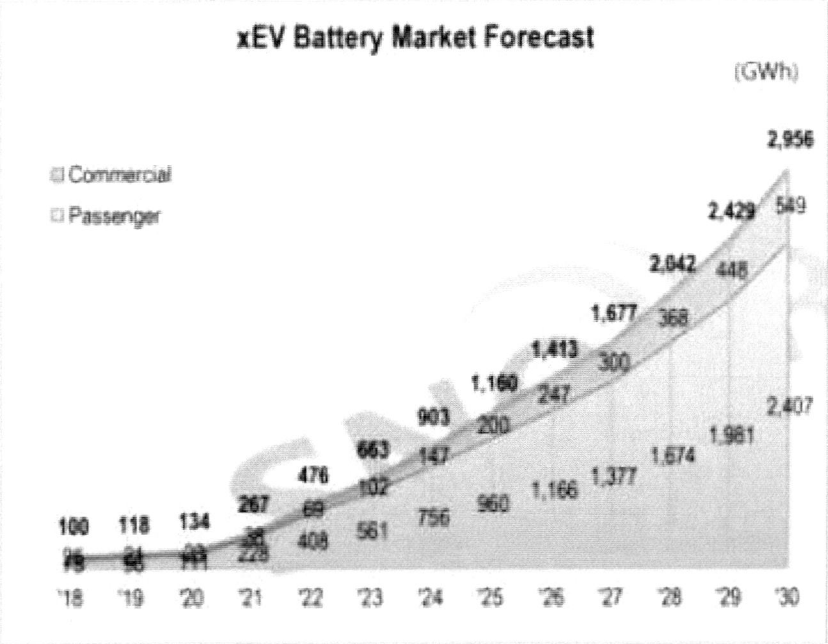

[그림 108] 전기자동차용 배터리 시장 전망

배터리 용량도 2016년 63.3GWh에서 계속해서 크게 성장하고 있으며, 최근 국내 연구진은 리튬 배터리의 용량을 최대 25%까지 늘릴 수 있는 기술을 개발했다. 2020년 6월, 한국과학기술연구원(KIST)은 청정신기술연구소의 에너지저장연구단 공동연구팀이 기존 배터리에 사용되는 흑연계 음극 소재보다 전지 용량이 4배 이상 큰 실리콘 기반 음극 소재의 고질적인 문제를 해결하는 기술을 개발했다고 밝혔다. 전기차 배터리에 이 기술을 적용할 경우, 주행거리가 최소 100Km 이상 늘어날 것으로 기대된다.64)

배터리의 대용량화로 인한 시장의 성장도 주목해야 한다. HEV에 채택되는 배터리의 용량은 1~2KWh에 불과한 반면, PHEV에는 10~20KWh의 배터리가 적용되고 순수 전기자동차의 배터리 용량은 이를 상회하는 수준이다. 환경 기준이 엄격해지면서 HEV보다는 PHEV나 EV의 고성장이 예상되고 완성차 업체 입장에서도 이에 더 주력할 수 밖에 없을 것이다. 이와 더불어 주행거리를 늘리기 위해서도 동일한 차종의 연식이 바뀌면서 대용량의 배터리가 사용되고 있기에 이차전지 시장 규모는 급속히 증가할 것으로 예상된다.

또한 시장의 확대와 더불어 리튬이온전지의 가격 또한 연평균 10% 수준으로 지속 하락할 것으로 전망된다. 테슬라의 기가팩토리(Giga Factory) 운영 등 규모의경제가 확산될수록 가격 하락 속도는 더욱 빨라질 것으로 예상할 수 있다. 전기자동차 보급이 지연되는 이유는 비싼 배터리 가격과 짧은 주행거리라는 한계점 때문이다. 즉, 전기자동차용 중대형 리튬이차전지 시장 개화의 선결조건은 가격 문제 해결에 달려있으며 새로운 수요 창출 속도는 결국 가격하락 속도에 비례해서 빨라질 것으로 전망된다.

64) 전기차 배터리 용량 25% 늘리는 기술 나왔다, ZD Net Korea, 2020.06.02

전기차용 리튬이차전지 제조비용은 계속해서 하락할 것으로 예상되며, 휘발유 가격이 $3.5/갤런 이상에서는 전기차가 내연기관 자동차에 비해 가격 경쟁력을 확보할 수 있을 전망이다.

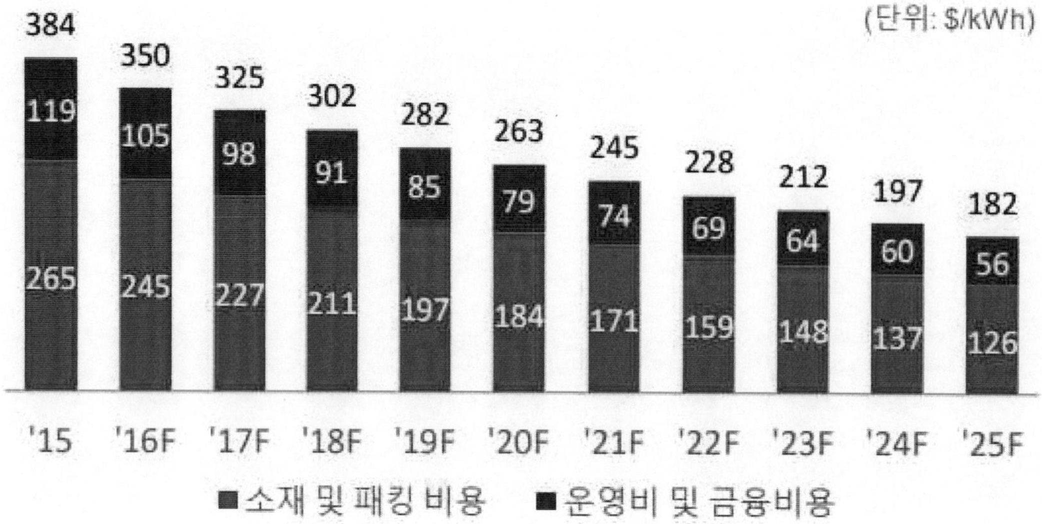

[그림 109] 전기차용 리튬이차전지 제조비용 하락 전망

2. 에너지 저장 시스템(ESS)65)

에너지저장시스템(ESS, Energy Storage System)은 생산된 전력을 발전소, 변전소 및 송전선 등을 포함한 각각의 연계 시스템에 저장 후, 전력이 필요한 시기에 선택적·효율적 사용을 통해 에너지 효율을 극대화 시키는 시스템이다. 즉, ESS는 생산된 잉여 에너지를 저장하고 필요할 때 사용할 수 있는 시스템을 말한다. 생산에너지를 기준으로 전기저장 시스템과 열저장 시스템으로 분류되고, 전기저장방식의 경우 저장 형태에 따라 물리적, 화학적, 전자기적 방식으로 나뉜다.

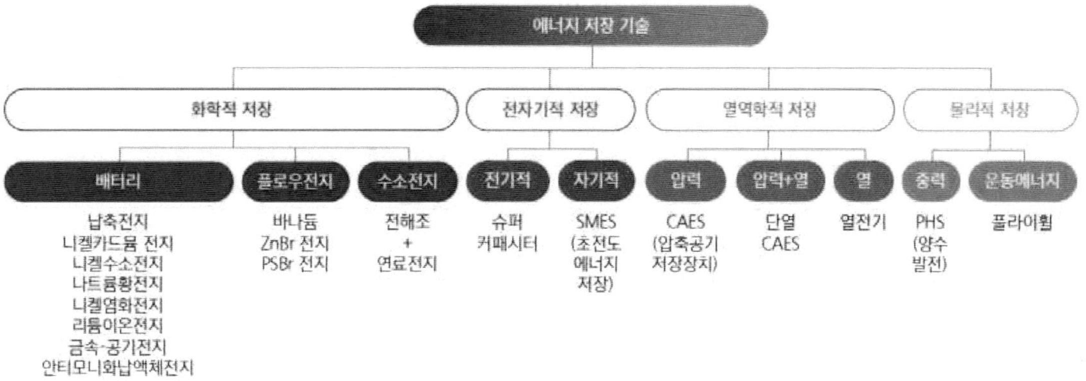

[그림 110] ESS 기술에 따른 구분

글로벌 ESS시장에서 설치 캐파 기준으로 95%를 차지하는 양수발전의 경우는 초기 투자비용이 높은 대신 100MW~1GW급의 높은 전력을 생산해 낼 수 있다. 하지만 에너지를 저장하는 시간이나 전력계통내 대응속도는 상대적으로 단점을 가지고 있다.

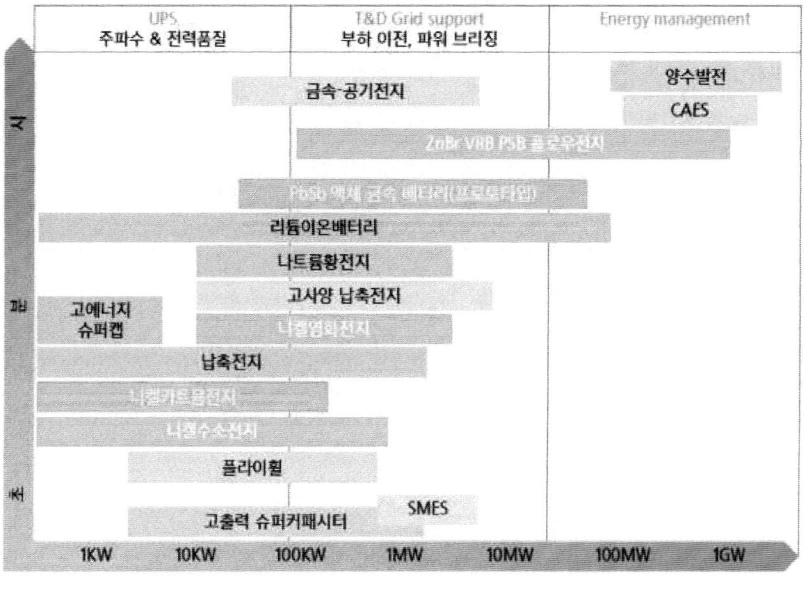

[그림 111] ESS 기술별 적용 분야 비교

65) 산업분석 5편: 글로벌 에너지 플랫폼, ESS , 삼성증권, 2019.03.07

전기화학적 장치 내에서도 리튬이온 2차전지(이하 LiB-ESS)는 경제성이 개선되면서 시간이 갈수록 적용범위가 확대됨에 따라 배터리 저장장치(BESS)내에서도 설치캐파 비중이 60%를 차지학고 있다. 한편, 요즘 관심을 끌고 있는 바나듐레독스플로우배터리(VRFB)는 효율은 LiB-ESS보다 낮지만 용량에 비해 비용이 적게 들고 수명은 반영구적이며, 유기용매가 아닌 황산 수용액을 전해질로 사용해 화재나 폭발 위험이 적다는 장점이 있다.

BESS로 쓰이는 2차전지는 주로 납축전지, 니켈수소전지, 나트륨황전지, 그리고 리튬이온 2차전지 등이 있다. BESS내에서도 에너지밀도와 수명 특성면에서 서로 다른 장단점을 지니고 있다. 단위 중량당 에너지밀도나 에너지효율성 면에서는 LiB-ESS가 우수하나 장수명 특성은 나트륨황전지가 우수하다.

LiB가 ESS에 적합한 여러가지 특성이 있다. 우선 충방전이 가능하다는 점이다. 충방전의 장점이 있는 LiB가 부각되는 것은 전력계통에 있는 대부분 자원들 중 전력을 생산은 하나 저장은 하지 못하기 때문이다.

둘째, 전력을 저장하거나 전달하는 데 있어서 수초나 밀리세컨드 단위로 빠르다. 이는 갑작스러운 정전과 같은 응급 상황이 발생시 이상적이다.

셋째, 효율성이다. 다른 ESS 기술과 비교할 때 에너지효율이 90~95%로 높다는 것이다.

넷째, 전력 수급에 맞게 저장시간을 다양하게 가져갈 수 있기 때문에 대부분 전력계통에 부합하는 특성을 가진다.

다섯째는 경제성이다. LiB의 설치비용이 지속적으로 줄어들면서 전력 생산 계획에 항상 같이 검토되는 것이다.

전기자동차 산업의 성장은 배터리를 매개로 에너지저장시스템(ESS) 시장에도 중요한 영향을 미칠 것으로 예상된다. 전기자동차를 통해 성장한 배터리 기술과 생산설비는 이제 막 성장기에 진입한 리튬이온전지 ESS의 경쟁력 확보와 장기적인 성장에도 핵심적인 변수로서 작용할 것이기 때문이다.

이미 선제적으로 배터리 경쟁력을 확보한 일부 전기자동차 기업들은 ESS 사업 진출을 통해 사업 영역을 다각화하려는 움직임이 포착된다. 미국의 Tesla는 전기자동차와 수직 계열화된 배터리 설비를 기반으로 SolarCity를 인수하여 ESS 사업에 진입하고 있다.

에너지저장을 위한 여러 기술들이 경합하고 있으며, 이 중 배터리 방식이 시장에서 선호될 것으로 예상된다. 특히, 리튬이차전지가 용량 확장성, 에너지 변환효율, 친환경성으로 타 경쟁기술 대비 많은 장점을 가지고 있기에 향후 에너지저장 기술을 선도할 것이다. 아직은 실증사례가 많지 않다는 한계점이 있지만, 전 세계적으로 리튬이차전지를 적용한 프로젝트가 건설 및 진행되고 있기에 이를 통한 충분한 검증이 가능할 것으로 보인다.

구분	NaS 배터리	리튬 이차전지	납축전지	플라이휠	공기압축	양수발전
에너지밀도 (Wh/kg)	200	100-250	30-50	10	Dependent on configuration	
가격 ($/kWh)	350-400	1,000-2,000	200-300	3,000-5,000	10-100	80-110
수명 (년)	15	10	3-5	20	20-30	20-30
충/방전 횟수	4,500	1,000-1,500	100-800	100,000 이상	5,000-10,000	5,000-10,000
전력변환 효율	78%	96%	90%	85%	70-85%	70-85%

[표 76] 주요 에너지저장기술 성능 비교

또한, ESS기술과 스마트 그리드의 결합도 추진되고 있다.[66][67] 스마트그리드는 '똑똑한'을 뜻하는 'Smart'와 전기, 가스 등의 공급용 배급망, 전력망이란 뜻의 'Grid'가 합쳐진 단어로, 차세대 전력망, 지능형 전력망을 뜻한다. 한국스마트그리드협회에서는 '스마트그리드를 기존 전력망에 정보통신기술(ICT)을 더해 전력 생산과 소비 정보를 양방향, 실시간으로 주고받음으로써 에너지 효율을 높이는 차세대 전략망'이라고 설명한다. 즉, 스마트그리드란 전기 공급자와 생산자들에게 전기 사용자 정보를 제공함으로써 보다 효과적으로 전기 공급을 관리할 수 있게 해주는 서비스다.

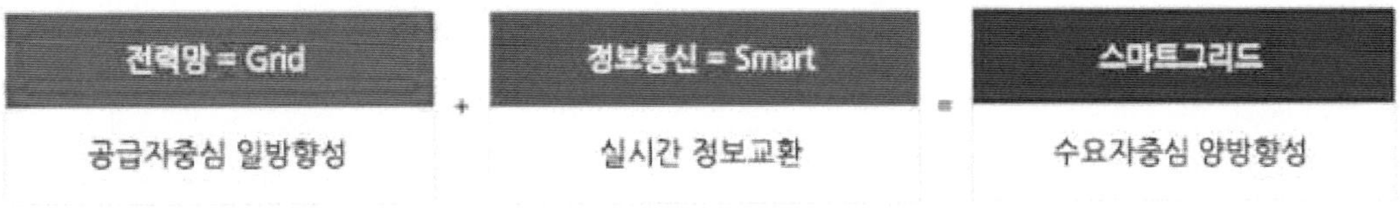

[그림 112] 스마트 그리드 개념

스마트 그리드와 ESS가 결합하면 기존 전력망에 정보기술 (IT)이 응용되어 전력공급자와 소비자가 양방향으로 실시간 정보를 교환하고 ESS를 통해 필요한 시기에 전기에너지를 공급하여 에너지 효율을 향상시키는 시스템 구현이 가능하다. 양방향 정보교류가 가능한 전력계통의 발전 및 전력공급, 송전 및 배관 각 단계에 ESS가 설치되어 에너지 효율을 증가시킬 수 있기 때문이다. 현재의 중앙집중식 전력계통 문제 해결을 위하여 분산전원의 특징을 갖고 있는 스마트 그리드와 ESS가 고안되었고, 배터리 및 IT 기술의 접목이 이를 가능하게 하고 있다.

66) 지식백과
67) 에너지저장시스템(ESS)현황, KDB산업은행

ESS는 야간에 유휴전력을 저장하고 주간에 사용하는 부하평준화(Load Leveling)를 통해 전력운영 최적화에 기여할 수 있다. 스마트 그리드를 통한 양방향 정보교류를 통해 전력 수요량이 적은 시간대 (ex : 심야)에 충전을 하고, 전력 수요량이 많은 시간(ex : 주간)에 발전을 통해 발전량을 평준화시킬 수 있다.

1) 에너지 저장 시스템(ESS) 시장

전세계 ESS 시장규모는 2015년 13GWh에서 2025년 139GWh로 연평균 27% 이상의 고성장을 이룰 것으로 전망된다. 특히, 리튬이온전지 방식의 ESS 성장은 연평균 50%에 가까운 폭발적인 성장을 통해 2025년 전체 ESS 시장의 65%까지 비중을 크게 확대될 것으로 예상한다.

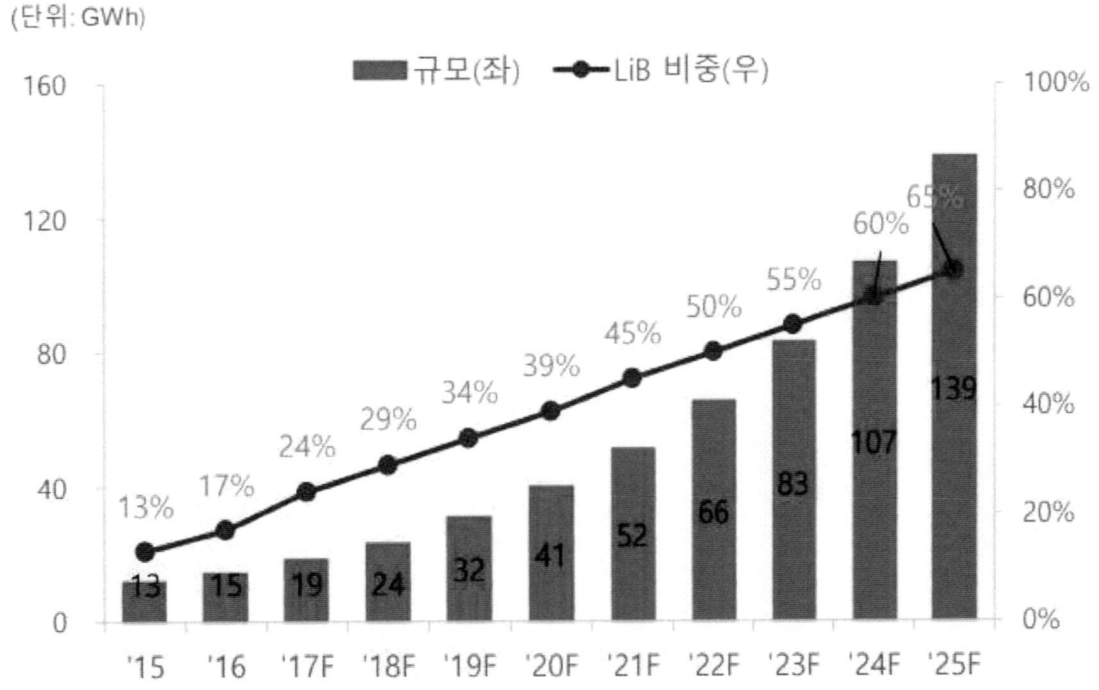

[그림 113] 글로벌 ESS 시장규모 현황 및 전망

현재 전력시스템은 피크타임(Peak time) 전력수요에 맞춰 전력용량을 증설해야 하는 구조이기에 전력 수요와 공급간 불일치가 발생할 수 밖에 없다. 이러한 단점을 ESS를 활용하여 전력수요가 적은 심야시간에 유휴전력을 저장하고, 수요가 급증하는 낮 시간에 전력을 공급함으로써 수요와 공급의 불일치를 해소하고 전력시스템의 효율을 개선할 수 있는 장점이 있는 것이다.

또한, 태양광, 풍력 발전 등의 신재생에너지는 기술 발전으로 발전 원가가 계속 하락하면서 설치량이 증가하고 있다. 그러나 미국, 유럽 등 신재생에너지 비중이 높아진 지역에서는 전력망의 불안정 이슈가 확대되고 있다. 이와 더불어 낮은 전력품질 문제로 산업체 가동 중단 및 전자기기의 고장 등의 여러가지 문제를 일으킬 가능성 역시 존재한다. 신재생에너지 사용 확대 및 문제 해결을 위해 에너지저장 기술의 필요성이 더욱 커질 것이며, 에너지저장 산업은 전력산업 변화의 핵심기술로 부상할 전망이다.

시장 조사기관인 SNE리서치에 따르면, 글로벌 ESS 수요는 2017년 19.5GWh에서 2025년 121GWh 규모로 늘어날 것으로 전망하고 있다. 이중 LiB-ESS 시장은 동기간 4.5GWh규모에서 77.6GWh로 빠르게 성장할 것으로 보고 있다. 연평균 성장률은 43%에 해당된다.

어플리케이션별로 보면 전력용 ESS 비중이 높은데 당사 전망에 따르면 2017년 2GWh 규모에서 25년까지 45GWh로 확대될 것으로 보고 있다. 이는 LiB ESS시장 수요 기준으로 58%를 차지한다. 지역별로 보면 2019년까지 한국이 주도하고 20년에서 25년까지 미국이 주도하는 시장으로 평가하고 있다.

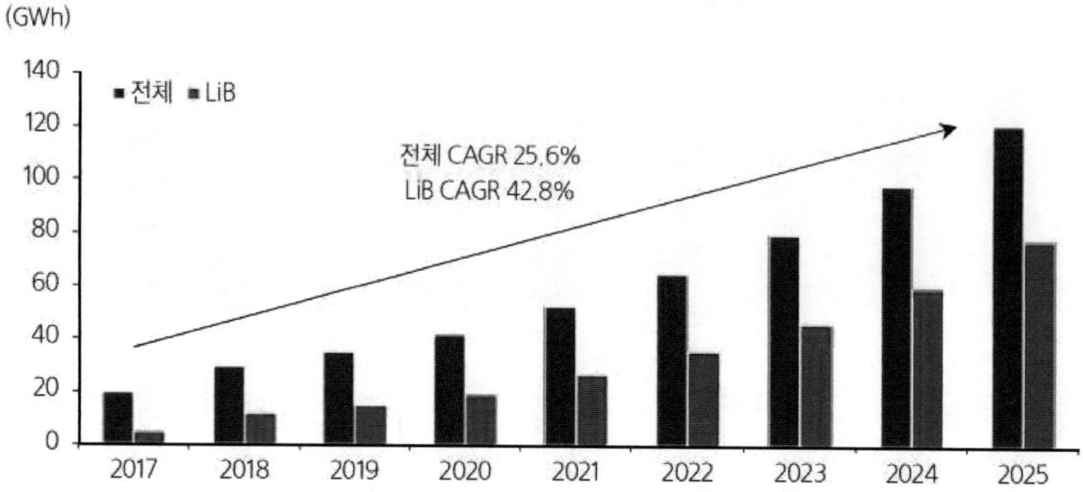

[그림 114] 글로벌 ESS 및 LiB ESS 시장 전망

LiB-ESS 시장 규모는 금액기준으로 보면 2017년 14억 달러에서 2025년 158억 달러로 10배 가까이 커질 것으로 추정하고 있다. 이 경우 LiB-ESS에 들어가는 배터리팩 판가는 2017년 kWh당311달러에 해당된다. SNE리서치는 25년까지 kWh당 204달러 배터리팩을 전망한 셈이다. ESS시스템에서 배터리팩 비중을 50%로 가정하면 2017년 1kWh당 ESS시스템 판매가는 622달러에 해당되고 이는 여러 시장 조사기관의 전망자료에 상응하는 수치다.

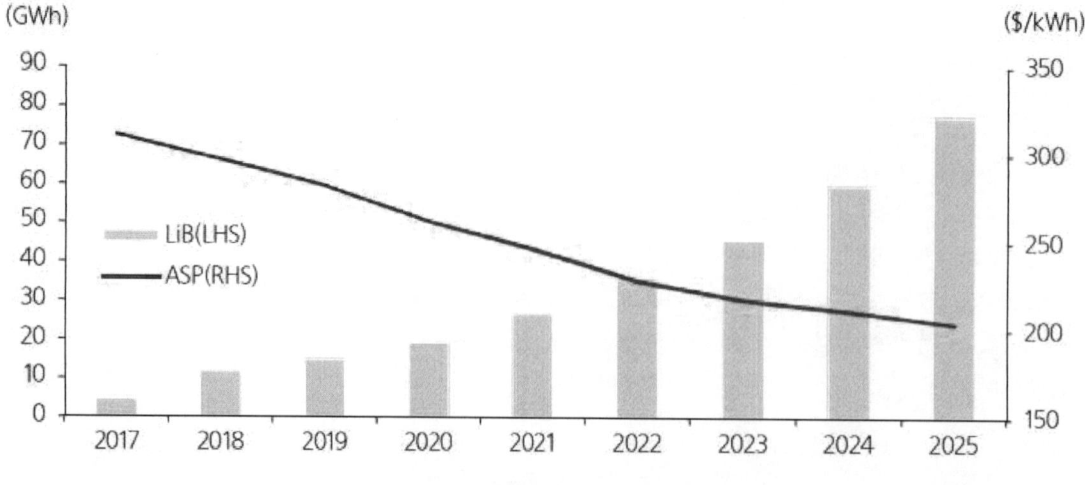

[그림 115] LiB-ESS 추이와 배터리팩 가격

SNE리서치와 달리 BNEF의 분석 자료를 검토해 보면, 2030년까지 글로벌 ESS 보급 규모는 2016년 대비 6배 커진 300GWh까지 성장할 것으로 전망하고 있다. 연평균으로 ESS시장 규모가 34%씩 확장될 것으로 본 것이다. 이 추세는 2000년에서 2015년까지 태양광 산업이 성장했던 궤적과 유사하다. (이 기간 태양광산업의 성장률은 7배)

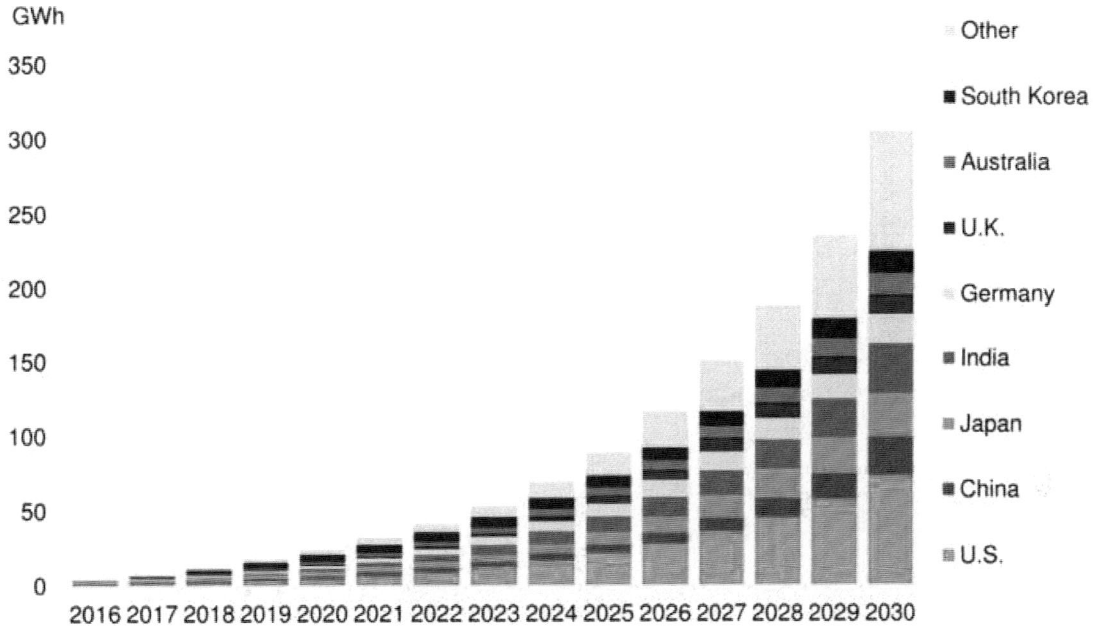

[그림 116] BNEF의 글로벌 ESS 누적 보급 규모 (GWh)

BNEF가 2018년 발표한 내용에 따르면 ESS시스템 원가하락으로 인해 ESS 설치수요가 더욱 확대되어 2040년까지 2.8TWh(942GW)까지 커질 것으로 보았다. 남은 기간 동안 6,200억 달러 규모의 대규모 투자를 수반하는 것이다. (이를 평균가격으로 환산하면 보급된 ESS의 kWh당 가격은 220 달러에 해당된다.)

2040년 설치캐파 기준으로 미국, 인도 등 9개 국가가 전체의 2/3를 차지할 것으로 봤다. 2018년 기준으로는 한국이 1위, 2020년 초반은 미국이 2020년 중반부터는 중국이 앞설 것으로 전망했다.

하지만 BNEF의 전망치는 상당히 보수적으로 판단된다. BNEF의 로직에 따르면 한 해 ESS 설치 규모는 20년 이전에는 2~3GWh로 추정한 셈이다. 하지만 당사가 파악한 바로는 국내 ESS용 2차전지를 생산하는 삼성SDI와 LG화학은 2018년 매출과 평균 판가를 보수적으로 보더라도 6~7GWh를 출하한 것으로 평가되기 때문이다. 즉 여러 ESS중에 리튬이온 2차전지 기반의 ESS(LiB-ESS) 2018년 실제 보급규모는 BNEF의 전체 ESS 시장 예상치를 5년 이상 앞서고 있다는 계산이다.

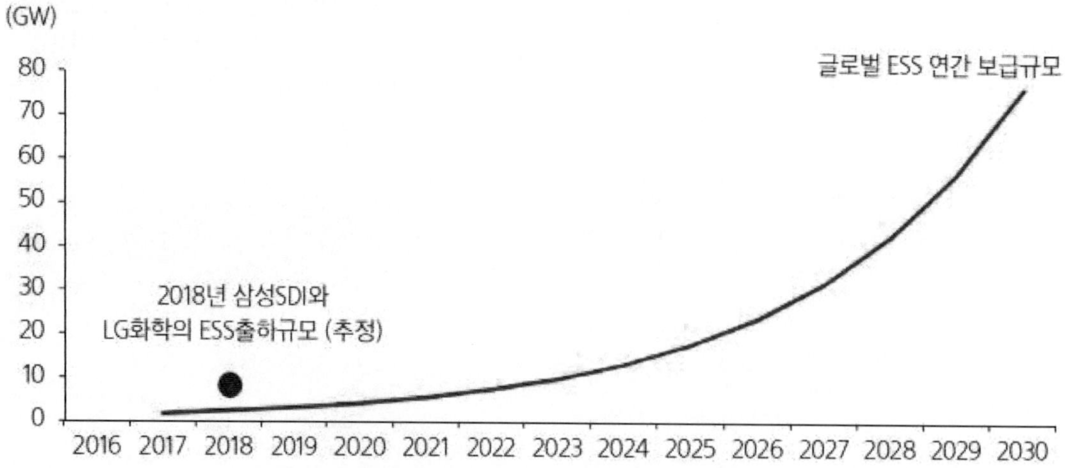

[그림 117] BNEF의 보수적 시나리오에 대한 검증

산업통상자원부에 따르면 2018년 상반기 ESS는 전년 동기 대비 20배 증가한 1.8GWh가 보급되었다. 이는 지난 6년간의 총 보급량 (1.1GWh)를 크게 상회하는 수치다. 이중 신재생에너지용이 683MWh로 동기간 16배 증가했고, 피크저감용의 경우는 1.1GWh가 구축되었는데 동기간 226배 증가한 것이다.

신재생에너지용 ESS의 증가는 REC 가중치 부여와 신재생에너지 보급에 따른 것이며, 피크저감용의 경우는 20년 일몰 예정인 요금특례제 혜택을 누리기 위해 수요가 집중된 탓으로 해석되고 있다.

산업통상자원부에 따르면 1MWh당 설치비는 약 5.4억원이다. 풀어보면 ESS설치비용은 kWh당 500달러 수준인데, ESS용 배터리 팩 비용을 kWh당 300달러로 가정하면 ESS 시스템을 구축하는 사업자 입장에서 배터리 팩 비용 부담은 60% 수준이다.

한편, SNE리서치는 2018년 기준 한국의 설치 캐파는 5.6GWh 규모로 전세계시장에서 47%로 높은 비중을 차지하고 있으나 20년 이후 한국 시장이 정체되면서 상대적으로 글로벌 시장 점유율은 하락할 것으로 추정하고 있다.

하지만, 한국의 에너지 정책은 단계적으로 원전과 석탄발전 가동을 중단하고, 2030년까지 전체 발전량의 20%를 신재생에너지로 공급하겠다는 목표다. 신재생에너지 비중이 늘어난다는 것은 출력의 변동성을 전력계통에서 안정적으로 수용할 필요가 존재한다. 이러한 계통의 안정성을 위해서는 ESS가 필수적이기 때문에 한국 ESS의 수요 시장의 변화 가능성은 얼마든지 존재한다.

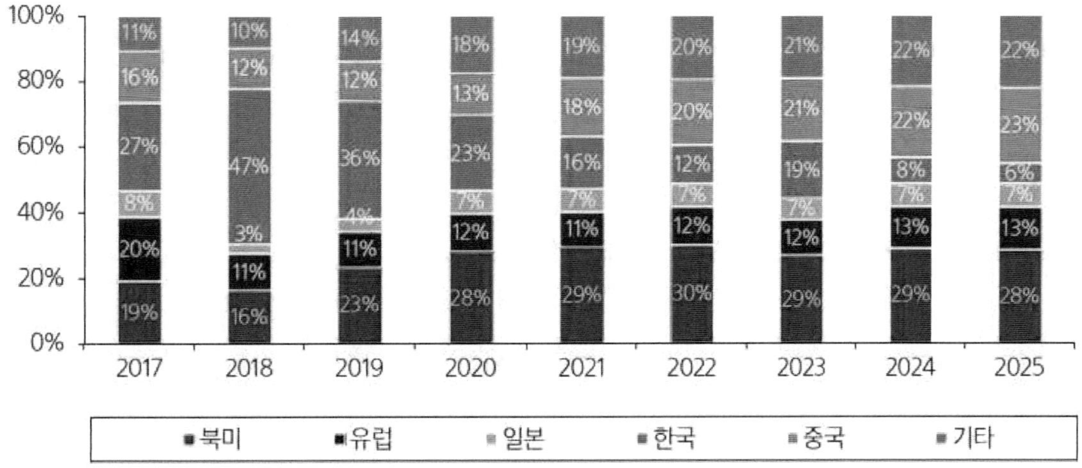

[그림 118] ESS시장 지역별 비중 추이

2) 에너지 저장 시스템용 이차전지 시장

최근 화재 문제로 시장이 위축되는 분위기를 보였지만, 앞으로 에너지저장장치(ESS) 시장은 이차전지 수요를 견인할 것으로 보인다. 에너지저장용 리튬이온전지 시장은 높은 성장성을 가진 분야로 평가 받고 있다. 신재생에너지 보급 확대로 인해 전력망 안정을 위한 에너지저장에 대한 필요성이 높아지고 있으나, 보급 확대에 가장 큰 걸림돌은 비용 문제이다. 비용 문제가 해결된다면 에너지저장용 리튬이차전지 수요는 폭발적으로 증가하여 본격적인 성장단계에 진입할 것으로 보인다. 2020년 이후로는 ESS 가격 하락과 함께 전력용 시장 내 사용처가 다양화되면서 시장 성장이 가속화될 것으로 예상되며, 2025년에는 90.3GWh, 2030년 203GWh까지 성장할 것으로 전망했다.

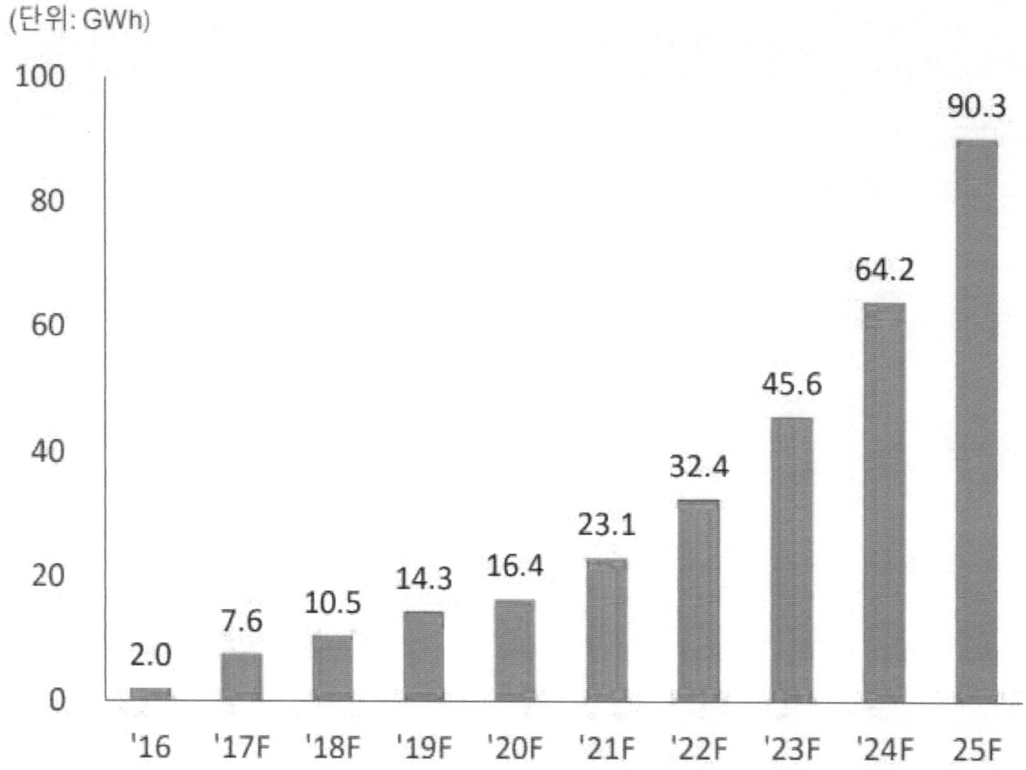

[그림 119] 글로벌 ESS용 리튬이차전지 시장규모 현황 및 전망

미국, 유럽, 일본, 호주 등의 선진 국가들은 전력망 노후화로 인한 전력계통 안정화, 신재생 발전의 활성화 그리고 비상 전원 확보를 중점으로 ESS 관련 정부 보조금에 기반한 대규모 실증사업을 진행하고 있다. 해외 ESS업계는 장기적으로 북미, 중국 등의 시장에서 신재생에너지 연계 ESS를 설치하며 시장 성장이 있을 것으로 예측한다.

뿐만 아니라 ESS 설치 의무화 법안을 통과시키고 신재생에너지와 ESS를 연계할 경우 보조금을 지급하는 등 제도적으로 ESS 설치를 장려하고 있으며, 국내는 신재생 발전 설비에 ESS 연계 시 REC(Renewable Energy Certificate) 가중치 정책 및 '재생에너지 3020 이행계획'에 따라 정부 차원의 ESS 산업을 육성하고 있어 꾸준히 성장할 것으로 기대된다.

최근에는 동남아, 아프리카, 중동 등 신흥국에서도 이러한 세계적인 추세에 합류하는 움직임을 보이고 있고 선진국 주도의 ESS 보급이 확산되고 있기 때문에 글로벌 ESS 시장 역시 지속 성장할 것으로 예상된다.68)

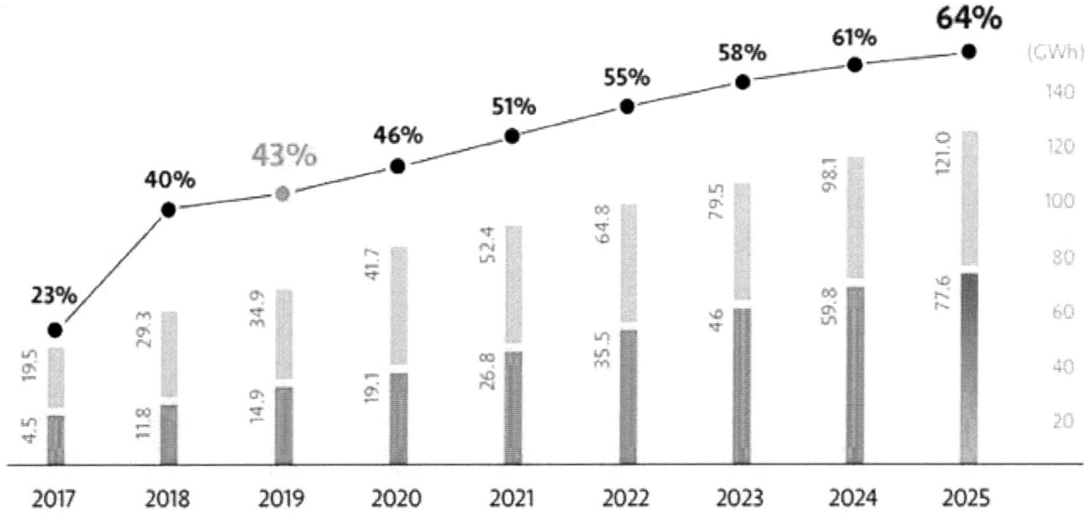

[그림120] 글로벌 LiB-ESS 수요 전망 (회색: 전체, 파란색: LIB

68) MATERIAL ISSUE IN 2018, 삼성 SDI

7. 참고문헌

VII 참고문헌

1) LG엔솔, 북미서 업계 1위 노린다…파나소닉에 '맞불' / 월요신문
2) 잡코리아
3) 에코프로비엠 홈페이지
4) 에코프로비엠 헝가리 양극재 공장 첫삽…2024년 양산 목표 / 더구루
5) 잡코리아
6) 일진머티리얼즈 홈페이지
7) EU '배터리 내재화 플랜' 포함된 일진머티리얼즈...스페인 정부 250억 인센티브 제공 / 블로터
8) 인크루트
9) 코스모신소재 홈페이지
10) 코스모신소재 "하이니켈 양극재 대규모 추가 투자 검토" / 매일경제
11) "코스모신소재, 수직계열화 통해 원료부터 양극재까지 밸류체인 구축 진행 중" / 뉴스투데이
12) 잡코리아
13) 피엔티 홈페이지
14) 전기차 성장률 꺾여도 … '꺾이지 않을' 배터리株 실적 / 매일경제
15) 잡코리아
16) 인크루트
17) 출처 : Zum 학습백과
18) 화학교재연구회 옮김, 레이먼드 창의 기본일반화학 제6판, 사이플러스(2010)
19) 출처: 네이버
20) 화학교재연구회 옮김, 레이먼드 창의 기본일반화학 제6판, 사이플러스(2010).
21) 리튬이온배터리, 한국IR협의회, 2020.08.06
22) 연료전지 시장의 현재와 미래, 삼정 KPMG, 2019.08
23) 2개 이상의 단위 분자를 포개어 합친 것
24) 원래 하나였던 큰 분자가 물과 반응하여 몇 개의 이온이나 분자로 분해되는 현상
25) 연료전지 개요와 현황, 한국수출입은행, 2021.08.06.
26) 중소기업 전략기술로드맵 2021-2023 이차전지, 중소기업벤처부
27) 출처: 삼성SDI
28) 김민수, "첨단 정보화사회의 필수품, 배터리의 모든 것", 2002.04.17
29) 이후 설명 김준학, <이차전지의 기술, 시장 동향 및 특허동향>보고서 참조
30) 이상 김준학, <이차전지의 기술, 시장 동향 및 특허동향>보고서 참조
31) 출처: Google
32) 자료: 삼성 SDI
33) 자료: 삼성 SDI
34) 자료: 삼성 SDI
35) AS산업협회, "리튬-이온 배터리의 장점 및 단점" 2014.03.31
36) AS산업협회, "리튬-이온 배터리의 장점 및 단점" 2014.03.31
37) 유망시장 Issue Report 이차전지, 연구개발특구진흥재단, 2021.06
38) 중소기업 전략기술로드맵 2021-2023 이차전지, 중소기업벤처부
39) 이차전지 시장, 글로벌 시장동향보고서, 연구개발특구진흥재단, 2021.06
40) 리튬이온배터리, 한국IR협의회, 2020.08.06.
41) 중소기업 전략기술로드맵 2021-2023 이차전지, 중소기업벤처부
42) 중소기업 전략기술로드맵 2021-2023 이차전지, 중소기업벤처부
43) 연료전지 개요와 현황, 한국수출입은행, 2021.08.06.
44) 2차전지/전자부품, IBK 투자증권, 2018.11.30.
45) 중소기업 전략기술로드맵 2021-2023 이차전지, 중소기업벤처부
46) 삼성 SDI
47) 위키피디아
48) 매일경제
49) 층간삽입반응은 결정구조인 전극소재 내부로 이온들이 삽입 및 탈리되는 반응으로 기존에는 비흑연계 탄소 소재인 하드카본, 흑연계 탄소 물질, 티타늄계 기반 산화물이 쓰임
50) 중소기업 전략기술로드맵 2021-2023 이차전지, 중소기업벤처부
51) 리튬이온배터리, 한국IR협의회, 2020.08.06.
52) 이차전지, 기술동향브리프, 2020
53) Zero Emission Vehicle Mandate (ZEV Mandata): 2만대 이상을 판매하는 업체는 연간 판매량의

4.5%를 무공해차로 판매하도록 규제
54) 3E+S : 안정성(Safety), 안정공급(Energy security), 경제효율성(Economic efficiency), 환경적합(Environmental conservation)
55) LIBTEC: 2010년 NEDO 지원으로 설립되어 전지 소재와 완성품 회사 사이의 가교 역할 수행
56) Charge와 Move의 합성어로서 도쿄전력 주도로 도요타, 닛산, 미쓰비시, 후지중공업이 가세한 급속충전기 표준화 그룹
57) 전방산업 변화로 본 이차전지 산업의 미래, 삼정 KPMG, 2017.12
58) 2차전지, 최보영, 교보증권, 2019.05.14.
59) 리튬이온배터리, NICE평가정보(주),2020.08.16.
60) 삼성SDI·SK이노베이션 등 국내 3사 전기차 배터리 세계 시장점유율 2배 이상 증가, 기계신문, 2021.01.148
61) 전기차 판매량 급증에 이차전지 시장 가파른 성장세 / Hello T
62) [바이든 시대] 전기·수소차에 보조금 지급 약속...친환경차 판매 급증할 듯 / 조선비즈
63) 전기차 시장 전망 2030년을 대비하기 위한 전략, Deloitte Insights,
64) 전기차 배터리 용량 25% 늘리는 기술 나왔다, ZD Net Korea, 2020.06.02.
65) 산업분석 5편: 글로벌 에너지 플랫폼, ESS , 삼성증권, 2019.03.07.
66) 지식백과
67) 에너지저장시스템(ESS)현황, KDB산업은행
68) MATERIAL ISSUE IN 2018, 삼성 SDI

초판 1쇄 인쇄 2023년 1월 11일
초판 1쇄 발행 2023년 1월 16일

편저 미래기술정보리서치
펴낸곳 비티타임즈
발행자번호 959406
주소 전북 전주시 서신동 780-2 3층
대표전화 063 277 3557
팩스 063 277 3558
이메일 bpj3558@naver.com
ISBN 979-11-6345-409-0 (13570)

이 도서의 국립중앙도서관 출판예정도서목록(CIP)은 서지정보유통지원시스템 홈페이지 (http://seoji.nl.go.kr)와 국가자료공동목록시스템 (http://www.nl.go.kr/kolisnet)에서 이용하실 수 있습니다.